CRÔNICAS DE EDUCAÇÃO 5

Cecília Meireles

CRÔNICAS DE EDUCAÇÃO 5

Planejamento Editorial
LEODEGÁRIO A. DE AZEVEDO FILHO

Coordenação Editorial
ANDRÉ SEFFRIN

São Paulo
2017

© **Condomínio dos Proprietários dos Direitos Intelectuais de Cecília Meireles**
Direitos cedidos por Solombra – Agência Literária
(solombra@solombra.org)
1ª Edição, Nova Fronteira, Rio de Janeiro 2001
2ª Edição, Global Editora, São Paulo 2017

Jefferson L. Alves – diretor editorial
Gustavo Henrique Tuna – editor assistente
André Seffrin – coordenação editorial, estabelecimento de texto e cronologia
Flávio Samuel – gerente de produção
Jefferson Campos – assistente de produção
Flavia Baggio – assistente editorial
Fernanda Bincoletto – assistente editorial
Arlete Sousa e Danielle Costa – revisão
Tathiana A. Inocêncio – projeto gráfico
Victor Burton – capa

Obra atualizada conforme o
NOVO ACORDO ORTOGRÁFICO DA LÍNGUA PORTUGUESA.

A Global Editora agradece à Solombra – Agência Literária pela gentil cessão dos direitos de imagem de Cecília Meireles.

CIP-BRASIL. CATALOGAÇÃO NA PUBLICAÇÃO
SINDICATO NACIONAL DOS EDITORES DE LIVROS, RJ

M453c
2. ed.
v.5

    Meireles, Cecília, 1901-1964.
    Crônicas de educação, volume 5 / Cecília Meireles; [organização Leodegário A. de Azevedo Filho]; [coordenação André Seffrin]. – 2. ed. – São Paulo: Global, 2017.

    ISBN 978-85-260-2267-6

    1. Crônica brasileira. I. Azevedo Filho, Leodegário A. II. Seffrin, André. III. Título.

                            16-30595
CDD: 869.98   CDU: 821.134.3(81)-8

Direitos Reservados

global editora e distribuidora ltda.
Rua Pirapitingui, 111 – Liberdade
CEP 01508-020 – São Paulo – SP
Tel.: (11) 3277-7999 – Fax: (11) 3277-8141
e-mail: global@globaleditora.com.br
www.globaleditora.com.br

Colabore com a produção científica e cultural.
Proibida a reprodução total ou parcial desta obra sem a autorização do editor.

Nº de Catálogo: **3875**

Um país novo, mas de intensa capacidade evolutiva, como o Brasil, não pode deixar de se instruir com as experiências já verificadas em outros pontos da terra – para aproveitar com os bons exemplos de umas, e acautelar-se dos desastres de outras.

(Da crônica "Professores e estudantes", publicada em
A Manhã, "Professores e estudantes" de 9-8-1941.)

Reparai, porém, na aridez das coisas mecanizadas. Como não ser indiferente àquilo cujo desvalor consiste precisamente em poder ser repetido sem grande esforço, encontrado sem dificuldade, e possuir apenas uma importância de utilidade momentânea?

(Da crônica "O caminho da libertação", publicada em
A Manhã, "Professores e estudantes" de 19-8-1941.)

O homem que compra o jornal tem um questionário imenso, dentro de si, – um questionário vago, mas vivo. O mistério da leitura do jornal consiste em que as coisas escritas são respostas para coisas não perguntadas, mas existentes dentro de cada um como nebulosas interrogações. Tal qual na vida e no sonho.

(Da crônica "Imprensa e educação", publicada em
A Manhã, "Professores e estudantes" de 31-8-1941.)

Sumário

[Professores e estudantes]..13
[Democracia, liberdade e cooperação]..................................15
[Lin Yutang e o turismo]...17
[O caminho da libertação]...19
Amigos, amigos..21
[O amor à terra]..24
[Vida e trabalho]...27
[Walt Disney no Brasil]...30
Imprensa e educação..33
Conforto rural...36
História da educação no Brasil...39
Educação ao alcance de todos..41
Cinema e educação..44
Homens, crianças e bichos...46
Perguntas...48
Brinquedos..50
Passado, presente e futuro...53
Recordação do México..56
Elogio da culinária..59
A menina e o papagaio..62
Teatro e educação..65
Espírito universitário...68
Ensino rural para adultos...71
Boa vizinhança [I]..73
Educação e turismo..75
Educação do pedestre...78
Intercâmbio, folclore, turismo etc. 81
A propósito de colônias de férias...83

Conversa em família 86
Atividades culturais 89
Desenhos de crianças inglesas 91
Educação dos artistas 93
Educação dos patrões 96
Desenhos infantis 99
Escolha da profissão 101
Endereço: Inep. 103
Resultados das Conferências de Educação 106
Educação dos industriais 109
Variações sobre a educação dos animais 112
Boa vizinhança [II] 114
Embaixada de crianças 116
Educação do transeunte 118
Criança 120
Etiqueta 122
Prelúdio 125
A "fórmula feliz" 127
Apelo 130
Bônus 132
Da evasão escolar 134
Bases mais concretas 136
Os delegados 139
Para um Plano Nacional de Educação 141
A esperança educacional de James Bryant Conant 144
As ideias educacionais de Bernard Shaw [I] 148
As ideias educacionais de Bernard Shaw [II] 151
Fim da conversa com Bernard Shaw [III] 153
Serenata para os velhos livros 156
Histórias de educação 159
Arte e educação 162
Oskar e a educação 164
Autoeducação ou Deus, o homem e a linotipo 167
Mnemônica da época 170
Palestra ambulante 173
A educação na Argentina 175

Educação de surdos-mudos..178
Conversei com as águas..180
Doce música da infância..183
Uma biblioteca infantil..185
Dezembro..188
Mais dezembro [I]...190
Papagaios de papel...192
Bonecas...194
Mais dezembro [II]...196
A respeito de papagaios..199
O livro e a criança..201
Parada na Rio-São Paulo...203
As "Sete pinturas" de Chang-Wou-Kien...205
Meditação em pleno campo..207
O tatu e o pinto..209
Eles e nós..211
Turismo e educação profissional...213
Educação urbanística..215
O livro e a roça..217
Educação doméstica..219
Fábulas..222
Biografias..224
Ainda a literatura infantil...227
Ruralização...230
Samba e educação..232
Mais poesia...235
Conversa à beira do rio..237
Ventilador..240
Flores...242
O almanaque..245
A arte de brincar..247

Cronologia..251

[Professores e estudantes][1]

Aparece este jornal num momento grave do mundo. E, sendo um jornal de ideias, não pode deixar de ter, numa das suas páginas, um canto permanentemente destinado aos assuntos de educação.

Entende-se por educação tudo quanto se refere ao adestramento, ao aperfeiçoamento físico, intelectual e moral do homem, de modo a adaptá-lo às condições do meio em que vive, tornando-o útil – e se possível também agradável a si mesmo e aos seus semelhantes.

Esta espécie de definição, que tão poucas linhas ocupa, encerra, no entanto, o segredo da vida humana, com suas lutas, derrotas e vitórias. É por isso, a educação, uma disciplina complexa, envolvendo muitas outras, e com muitas outras se limitando.

Toda essa complexidade, finalmente, se polariza – de um lado, numa doutrina que inspira e dirige; do outro, numa forma de realização dessa doutrina, isto é: em espírito e método.

A mais primitiva forma de sociedade humana não prescinde de experiência educacional. Cada grupo – como mais tarde cada povo – busca o aproveitamento de cada unidade social, sua integração adequada ao ambiente coletivo, mediante certas práticas que constituem uma verdadeira metodologia.

Naturalmente, os povos que se consideram altamente civilizados têm ideais mais sutis, e outros recursos para a sua concretização.

Um país novo, mas de intensa capacidade evolutiva, como o Brasil, não pode deixar de se instruir com as experiências já verificadas em outros pontos da terra – para aproveitar com os bons exemplos de umas, e acautelar-se dos desastres de outras.

Ora, este momento do mundo é grave por ser aquele em que vários ideais se chocam de maneira impressionantemente espetacular.

---

1 Esta primeira crônica representa uma tomada de posição diante dos problemas da educação nacional. Com o passar do tempo, sobretudo a partir de 1942, a escritora aos poucos foi desviando o seu interesse para as questões relacionadas com o folclore. (N. O.)

Como os ideais são as forças inspiradoras da educação, resulta que o mundo se encontra em pleno caos, nessa matéria.

Este jornal convida os seus leitores a certa meditação sobre o assunto. Principalmente os professores e estudantes devem ter dúvidas ou certezas, perguntas ou respostas que permitam pelo menos encaminhar tão importante questão.

Rio de Janeiro, *A Manhã,* 9 de agosto de 1941

[Democracia, liberdade e cooperação]

Três ídolos tem o povo americano: democracia, liberdade e cooperação. De democracia e liberdade muito se tem falado; mas de cooperação nunca se falará suficientemente.

Na verdade, quem visita os Estados Unidos e vê tantos tipos raciais misturados na multidão imensa percebe que não são os laços de uma definida e sustentada tradição comum o que prende num todo harmônico essa prodigiosa variedade individual.

Ligam-se os americanos pela cadeia mágica da cooperação.

A prática dessa virtude essencialmente social começa na escola, vai pelos diversos graus de ensino até a universidade e daí continua pela vida fora, de tal modo que cada criatura encontra sempre na outra um antigo camarada ou camarada de um camarada – e os agrupamentos humanos se formam com facilidade e singeleza. Com mais facilidade e singeleza do que entre certos parentes, e com mais realidade que sob a invocação da descendência comum de Adão e Eva.

Realmente, todos os americanos estão próximos um do outro: nasceram na mesma cidade, ou no mesmo estado, ou num estado vizinho ao do seu amigo, ou seus pais se conheceram, ou frequentaram a mesma escola, ou formaram parte do mesmo clube. Talvez em pequenos, tiveram a mesma mania: criaram gatos, colecionaram selos, escalaram montanhas, inventaram aparelhos. Leram, talvez, o mesmo livro na biblioteca. Sonharam alguma vez o mesmo sonho. Para que mais? Não é isso o que faz o parentesco das criaturas?

Por essa razão, os americanos não se envergonham de muitas coisas que parecem ridículas à intelectualizada disciplina europeia. Qualquer lugar, para eles, é um bom lugar para fazer conhecimento com outras pessoas. Uma viagem, um passeio, um encontro casual – e o americano já dirige a palavra ao seu vizinho, e ambos se identificam, se põem em contato, comunicam seus planos, trocam seus cartões de visita, passam a escrever-se, convidam-se para um piquenique ou para um congresso, amoldam suas ideias, retocam-nas, e atiram-se a uma aventura – fundar uma empresa ou salvar o mundo – como, nos tempos de criança, se precipitavam numa pista, defendendo o campeonato de seu grupo.

Extremamente simpático é esse aspecto da vida americana. Estimular e valorizar o trabalho do próximo parece obra de simples e elementar justiça. Mas por onde a vemos devidamente praticada? Entre os que realmente compreendem e praticam um trabalho de cooperação.

O que decepciona um pouco o observador sentimental é a frieza com que, entre os americanos, se vê executar a obra de cooperação. Dir-se-ia que essa virtude, por social, deixou de ser humana. Que é um fruto de cálculos bem intencionados, não a espontânea floração da ternura e do desinteresse. Mas por onde andam o desinteresse e a ternura, e outras florações espontâneas? É-se levado a crer que apenas em alguns livros tão velhos que nem as crianças os querem ler mais... Triste mundo!

Então, o que resta é aprendermos a cooperação americana. Ela apresenta resultados indiscutíveis. Sua rede, estendida através de um país imenso, equilibra um povo que, sem ela, não sabemos como se poderia manter unido e forte. E se quisermos converter cada camarada num amigo, dando-lhe, – mais que o estímulo na tarefa diária, mais que o incentivo para empreendimentos especiais – essa estima que o espírito irradia, esse fervoroso interesse que nos permite conduzir, inspirar, melhorar os nossos companheiros na aventura de viver, – tanto melhor para todos! Teremos convertido a cooperação em fraternidade. Mas façamos alguma coisa, se não pudermos fazer tudo, se não pudermos fazer muito! A humanidade não pode esperar mais.

Rio de Janeiro, *A Manhã*, 21 de agosto de 1941

[Lin Yutang e o turismo]

Lin Yutang, no seu já famoso livro *The importance of living*, faz, entre outras críticas interessantes da vida ocidental, as do turismo que, segundo diz, começou por ser um prazer – a arte de viajar – e acabou transformando-se numa indústria.

Passando em revista os vários tipos de viagens, segundo as finalidades do viajante, condena três falsas maneiras de viajar: a que tem por objetivo um suposto enriquecimento intelectual; a que se destina a fornecer temas de futuras conversações; e a que torna o caráter esportivo de obediência a um programa dado, permitindo ao turista saber, por antecipação, a que horas estará, por exemplo, almoçando na Venezuela e jantando no Paraguai.

Analisa, no primeiro caso, as fastidiosas, apressadas e inúteis dissertações dos guias, diante de estátuas, parques e edifícios – que matéria se poderá extrair daí para uma real aquisição de conhecimento?

No segundo caso, a máquina fotográfica, documentando o rastro dos turistas nos momentos julgados mais interessantes, ameaça arruinar a verdadeira fruição dos belos espetáculos, das cenas que merecem ser vividas quando se toma a resolução de partir por este mundo afora.

O terceiro caso representa uma escravização tão mecânica do programa estabelecido pelas empresas turísticas, e os pontos desse programa estão de tal modo mais a serviço da empresa que do viajante, que qualquer comentário se torna dispensável.

Ao longo de sua crítica sobre os turistas, o filósofo chinês chama a atenção do leitor para esses curiosos tipos que, chegados ao longínquo lugar do globo que espontaneamente decidiram visitar, se desesperam quando aí não encontram as mesmas cordialidades dos hábitos próprios do seu torrão.

– Na verdade é para surpreender, como ele diz, que uma pessoa resolva atravessar tantas dificuldades, como fazer malas, comprar passagens, gastar tempo e dinheiro para querer encontrar do outro lado do mundo exatamente o que já conhecia do lado de cá...

Lin Yutang não insiste muito – apenas a aflora – na questão dos livros escritos pelos turistas. Aflora-a quando se refere às pessoas que justificam suas viagens como um meio de inspiração para novas obras.

Hoje, que o turismo está em grande moda, essa busca de aspiração mereceria ser mais comentada.

Se, como o autor afirma, e infelizmente é verdade, a arte de viajar já se transformou numa indústria e numa indústria rápida, o próprio turista não pode ter ilusões acerca do que lhe cabe ver – em tão curto e sobressaltado tempo, como costuma ser – das excursões.

Um livro de generalizações inócuas, divagações de poeta, sonhos de impressionista pode ser feito nessas condições, porque é obra mais de interiorização que de paisagem, mais de subjetivismo que de objetividade.

O erro grave dos turistas é, pois, pretenderem fazer obra de história, sociologia, política, permanecendo num país algumas poucas semanas, sem o domínio completo de sua língua, e quase sempre com uma total ignorância da sua formação histórica.

Estas observações têm a sua razão de ser – o turismo é uma oportunidade para as boas relações entre os povos. Os que não viajam, e, sem malícia, compram os livros que aparecem sobre países estranhos, procurando conhecê-los e estudá-los, são passíveis amigos, que um livro mal orientado é capaz de desviar ou destruir.

A última esperança do bem-estar dos povos fica, assim, comprometida por livros imprudentes que, por vezes, no país de origem, não podem ser devidamente criticados e, no exterior, às vezes nem chegam a ser conhecidos. A repressão ao mau livro de viagens é, pois, assunto que deve ser tratado diretamente com o autor. Seria conveniente que as empresas de turismo aconselhassem aos seus fregueses:

"Vá, divirta-se, mas não escreva livros de viagem!"

Todos lucrariam com isso, inclusive os autores, que ficariam mais conceituados.

Rio de Janeiro, *A Manhã*, 15 de agosto de 1941

[O caminho da libertação]

Analisai o mundo moderno e vereis que nos debatemos entre excessivas coisas. Há modas demais, demasiadas invenções, superabundância de comodidades.

Padece-se por escassez, mas a escassez produz o sonho e nesse trabalho da imaginação reside uma secreta alegria que alenta a própria infelicidade. A escassez determina fecundos instantes de solidão, e valoriza cada pequena vitória criadora. Seu estilo, em realizações, é sóbrio mas concentrado. E tudo, nele, tem uma significação. Quereis um exemplo? Contemplai um objeto de arte popular, quando esta ainda não sofreu influências desastrosas, pela exploração turística. Vede um bordado, uma joia, uma cerâmica, de certas zonas privilegiadas; o material é o que o meio determina – na maior parte das vezes, rústico, e trabalhado elementarmente. Mas que poesia dorme em cada arabesco recém-criado ou já fixado pela tradição! Os animais e as plantas, o sol e a lua nascem das mãos dos artistas talvez sem tanta perfeição, mas pelo mesmo poder maravilhoso com que foram criados os originais, na semana da Gênese. Dentro de cada ingênuo motivo palpita uma vida humana, a vida de um povo e mesmo um certo número de emoções que constituem a experiência de todas as vidas deste mundo.

Reparai, porém, na aridez das coisas mecanizadas. Como não ser indiferente àquilo cujo desvalor consiste precisamente em poder ser repetido sem grande esforço, encontrado sem dificuldade, e possuir apenas uma importância de utilidade momentânea?

A máquina tem o seu hino consolador:

> Não lamenteis as coisas raras ou longínquas! Não lamenteis o trabalho pacientemente elaborado em que um artista anônimo conservou e transmitiu as relíquias do sonho de muitas gerações. Eu vos darei, em troca disso, uma inesgotável riqueza de motivos novos, inventados agora, surpreendentes de originalidade. Todos os dias inundarei a vossa sensibilidade com outras criações, que se sucederão umas às outras sempre com mais esplendor.

Essa é a verdadeira linguagem da tentação. O prometido esplendor é fictício, por se achar vazio de uma essência imortal. Estamos iludindo nossa inquietude de beleza com aparências de conforto, variedade, facilidade. Estamos envolvidos numa farsa, em que somos as próprias vítimas.

E assim gira o mundo em redor da nossa cabeça como um gigantesco caleidoscópio. E nós perdidos, girando também, para acompanhá-lo. Perdido todo o nosso tempo, perdidos os nossos profundos sentimentos na distração ilusória, superficial, que, para se sustentar, precisa do dia seguinte, da superação da fantasia – pois o passado morre em cada instante, sem vestígio, perfume, saudade.

Tudo isso porque há um excesso de coisas, de interesses, de luta... E qual é o caminho da libertação?

O caminho da libertação é longo e obscuro – as multidões de agora andam atônitas e enlouquecidas – e só se chega a ele por uma disciplina de suavidade. Os educadores devem conhecer esse caminho, e compreender o verso eterno: *"A thing of beauty is a joy for ever"*.

Rio de Janeiro, *A Manhã*, 19 de agosto de 1941

Amigos, amigos...

"Amigos, amigos, negócios à parte." O velho provérbio tem sabor egoístico, e nós todos nos sentimos de tal maneira generosos!

Começamos, então, a condescender com os amigos. Pois os amigos não são nossos amigos precisamente por serem criaturas encantadoras? Pois não têm uma linda casa, de cuja varanda se pode apreciar o pôr do sol? Pois não recebem divinamente? E seus filhinhos, não são anjos com forma humana?

Os amigos merecem todo o nosso apoio, todo o nosso prestígio, pelo prestígio e pelo apoio que nos dão.

Depois, os tempos são variáveis... Acontece o amigo perder a casa de varanda, deixar de receber divinamente, e as crianças depois de crescidas ficam tão diferentes dos anjos que eram!

Ajudemos, pois, os amigos. Recordemos as ditosas festas em que fruímos juntos alegrias passadas! Mesmo porque... – meus senhores, quem sabe? – também pode chegar o nosso dia de decadência, e quem nos tratará com boa vontade, quando estivermos perdidos?

Assim pensamos, dia a dia – somos tão generosos!

E, por esse motivo, o provérbio vai carunchando, como é próprio dos provérbios, e misturamos os negócios com os amigos.

A quem pretenderemos colocar como ajudante na primeira vaga de qualquer seção? Pois uma das filhinhas do nosso amigo. Não sabe ler nem escrever? Não tem aptidão para nada, senão para os cachinhos do seu penteado? Não gosta do horário? Passa o tempo contando o enredo dos filmes que viu aquela semana? – Mas, senhores, é a filhinha do nosso amigo! Aquela que pusemos no colo quando ainda não dizia senão "papai" e "mamãe"! Agora, está crescidinha e bonita. Que mal faz uma criaturinha assim, de mais ou de menos? Arranjemos o lugar para a filhinha do nosso amigo!

Mas a esposa do nosso amigo não poderá também preencher uma outra vaga? Uma vaga de mais responsabilidade, naturalmente, uma vaga de melhor remuneração? Pois não era ela a que nos recebia divinamente? A que sabia mandar preparar jantares tão saborosos e sempre se lembrava de todos os nossos parentes nos dias de aniversário?

Mas o nosso amigo! Que daremos ao nosso amigo, depois de contemplarmos sua esposa e sua filha? Certamente, alguma coisa mais importante. Por nós, dar-lhe-íamos o cargo mais alto e mais vantajoso. Um homem que tinha a sua varanda, o seu automóvel, o seu conforto... – Onde o colocaremos? Que sabe ele fazer? Que gostaria de fazer, realmente? Onde poderia, afinal, ser útil? – Ora, não percamos tempo com palavras. É preciso ajudar o nosso amigo. Vejam bem os senhores que não digo "um homem", "um homem que necessita", "um homem que sofre". Não. Estou falando do "nosso amigo" – quer dizer, de uma continuação de nós mesmos, do nosso reflexo distância, – o reflexo desta importantíssima pessoa que somos, e a quem generosamente desejamos todas as felicidades deste mundo, e mais, se houver.

De modo que, quando os serviços não andam bem, quando os outros reclamam, quando dizem: "Mas isto era um lugar para fulano e não para beltrano" – nós nos fazemos de desentendidos. É o nosso amigo que está em jogo (intimamente bem esmiuçado, somos nós mesmos, afinal...).

Se o nosso amigo e a sua família saírem dali, quem os virá substituir? Certamente, os amigos dos outros. Poderemos, porventura, admitir que os amigos dos outros sejam superiores aos nossos – isto é, que os outros sejam superiores a nós? É um pouco difícil.

E quando uma pessoa aparece, que diz: "Senhores, os lugares se distribuem, segundo as aptidões. Não se trata de amigos nem de inimigos. Trata-se de poder ou não poder executar isto ou aquilo" – grande celeuma. Que amigos dos nossos inimigos se estão insinuando para nos prejudicarem?

Tudo isso mudaria se mudássemos a noção de "amigo". Se víssemos o assunto de um ângulo menos interesseiro ou sentimental, embora sem excluir nem o interesse, nem o sentimento? Cumpre-nos apoiar, prestigiar e proteger os nossos amigos. Não confundamos, porém, a pessoa que admiramos ou estimamos com aquela de quem recebemos algumas homenagens, muitas vezes circunstanciais.

Guardemos para a expressão "amigo" o seu sentido mais puro. E, para assim o preservarmos, lembremos que a melhor maneira de servir a um amigo é ser-lhe fiel, e ser fiel é ser verdadeiro, e ser verdadeiro é não colocar ninguém em caminhos ilusórios.

Para que vamos dizer à sua linda filha ignorante que ela é um prodígio em qualquer coisa? Não é isto ser infiel ao código da amizade?

E como poderemos incutir no espírito de uma digna matrona que ela é uma artista excelente, uma funcionária exemplar ou qualquer coisa semelhante? Digamos que é uma digna matrona. Uma romana ficaria satisfeita; e que sua filha é a sua melhor joia – Cornélia Graco sorriria encantada.

E digamos ao nosso amigo: "Você precisa recomeçar a vida, adaptar-se; os tempos mudam, as coisas evoluem, tudo fica diferente. Tenha paciência meu velho, reaprenda para saber, e saiba para colocar-se."

Isto no caso de nosso amigo realmente precisar. Porque, se não, o conselho é assim: "Meu amigo, perca essa mania decorativa, que tem estragado muita gente! Deixe de ser grã-fino, deixe de ser medalhão. A ordem do dia é Marcha para oeste – vamos trabalhar, meu caro, o trabalho embeleza o corpo e a alma. E há uma falta enorme de beleza, neste mundo!"

Rio de Janeiro, *A Manhã,* 26 de setembro de 1941

[O amor à terra]

Para a grandeza do Brasil, é essencial o amor à terra. E não sei de país que possua tantos encantos naturais, para serem fruídos não apenas pelos turistas, como agora intensivamente se procura fazer, mas pelos naturais, a quem as frivolidades do urbanismo entontecem e extraviam.

As revistas de propaganda turística, e as demais publicações feitas com a mesma finalidade, deviam ser largamente distribuídas pelas escolas e pelos lares, de modo a promover um conhecimento amplo das belas coisas que possuímos, e que quase sempre se encontram fora da órbita das cidades.

É uma lástima verificar que certos viajantes estrangeiros conhecem muito melhor do que os brasileiros as maravilhas da nossa terra. Isso, aliás, vem do passado, do tempo dos primeiros naturalistas, apaixonados pelos encantos do Brasil, enquanto o Brasil se extasiava com toda sorte de importações...

Compreende-se, porém, o fenômeno; há povos que rendem à natureza um verdadeiro culto. Continuando a tradição da antiguidade, esses povos interpretam com clarividência o paganismo: veem a beleza e o poder de terras, águas, plantas, através de simbolismos, alcançarem a grandeza de representações divinas. O homem-econômico de hoje não se pode rir do seu antepassado mítico, se refletir que as divindades de outrora continuam a atuar, e que é por Ceres que se luta, conquistando terras de plantio, e por uma espécie de Vulcano, conquistando poços de petróleo... As forças são as mesmas, com outros nomes e outros ritos.

O Brasil, celeiro famoso, por longos anos entregue a uma forma de economia meramente extrativa, de tão embalado na abundância, perdeu o sentido do culto à terra, deixou-se assaltar pelo pecado do esquecimento e da ingratidão. Assim, foram sempre os deuses terríveis mais adorados que os benéficos, porque o medo do castigo inspira mais que o recebimento das mercês.

O amor da terra não pode ser platônico; necessita de um contato real. Não é a mesma coisa ler Vergílio e ser Vergílio. Todas as belas descrições falecem, quando se está no campo, como gente do campo. É a terra viva, produzindo ou não, e do seu ritmo fazendo depender a nossa vida. É a alegria da colheita unindo o homem ao campo pelo violento interesse da sua fome. É a satisfação do trabalho recompensado sem usura, quando perfeitamente executado, dando disciplina ao interesse, e cultivando a mentalidade do homem à medida que ele cultiva a terra. São as mil descobertas de cada dia – no mundo das plantas e dos bichos, – aprimorando no homem o seu sentido humano, colocando-o no seu lugar justo, dentro do quadro do universo.

Têm os americanos um provérbio que explica a força da terra: "Pode-se arrancar um menino do campo; mas não se pode arrancar o campo a um menino."

Pela verdade contida nesse provérbio é que a educação rural brasileira precisa ser encarada como um problema capital para a felicidade da terra e do homem. E não apenas a educação rural do habitante do campo, que ao campo deve ser fixado – mas a educação rural do homem da cidade, que, de longe, pode contribuir para essa fixação, estimulando cientificamente as atividades agrícolas, trabalhando para o conforto dos moradores rurais, valorizando sua obra, amando a terra mais do que como simples turista: como seu filho, com um destino condicionado ao seu, malgrado as loucuras urbanas lhe alterem na cabeça todas essas simples e eternas noções.

Cada criança deveria cuidar de uma planta ou de um animal, e seus passeios mais constantes deviam ser pelos jardins, campos cultivados, fazendas. As várias práticas agrícolas possuem um conteúdo poético de utilidade e prazer para a sua imaginação.

Deviam interessar-se por isso as instituições de turismo, as escolas e os pais.

Hoje em dia, o cinema atingiu um poder de absorção absolutamente perigoso. Fora do cinema, parece que ninguém sabe como se distrair. Míseros os que preferem ver uma paisagem fotografada, mesmo em tecnicolor, à paisagem viva, com seus milhares de mistérios, cada um dos quais é suficiente para ocupar a vida inteira de um sábio!

No entanto, os americanos, que nos mandam com tanto sucesso as suas produções cinematográficas, são gente que não se afasta da terra; gente que espalha pelos subúrbios campos de piquenique, onde, sob árvores, à beira de águas, gozam o fim da semana, quando não possuem uma casa de campo com sua granja, equipada desses requintes de conforto que não constituem a tentação das cômodas cidades. Os americanos – já que agora é moda falar neles! – incentivam nas crianças o amor aos animais domésticos, e com isso as entretêm de maneira a diverti-las, dando-lhes muitas noções práticas, e desenvolvendo nelas o interesse pelos nossos irmãos inferiores, o que é uma sábia forma de cultivar nas cidades a lembrança da natureza.

Com isso se defendem os americanos da morte por sufocação entre as sombrias paredes dos arranha-céus. Com isso e com os seus enormes e riquíssimos parques, todos povoados de bichos, e que aproximam a natureza do homem, dando-lhe ambiente para descanso, após a luta formidável e exaustiva com os números, as moedas e as máquinas.

Rio de Janeiro, *A Manhã*, 27 de agosto de 1941

[Vida e trabalho]

Um dos aspectos mais simpáticos da vida americana é o valor que se empresta ao trabalho. Essa valorização permite um grande ambiente de cordialidade, no qual é possível reinar esse espírito de democracia que preside a todas as realizações, nos Estados Unidos.

Ao contrário do que ainda se verifica entre nós, onde o trabalho está enquadrado num sistema de hierarquia, sendo, em algumas de suas formas, considerado inferior, e, por isso, depreciado, – entre os americanos o trabalho, seja qual for a sua categoria, é uma atividade considerada nobre, tanto pelos benefícios que traz para o indivíduo como pelos que determina na vida social.

Com um pouco de meditação e certa dose de poesia, relembremos o velho poema de Sully Prudhomme, em que todos os trabalhadores se recusam a trabalhar, fazendo sentir ao homem desatento a importância de sua falta de cooperação, e as suas consequências, embora (e principalmente por isso) se trate de profissões elementares e obscuras.

Se pode existir uma hierarquia de funções, nada mais grato do que conseguir encadeá-las, como fazem os americanos, e, com tenacidade, subir de uma a outra, aprimorando conhecimentos ou habilidades.

Diz-se que o que inspira ao povo dos Estados Unidos uma tal confiança em si mesmo é saber, cada cidadão, que pode vir a ser ainda presidente da República. Não sei que realidade tenha a observação; vale, porém, como símbolo: é, sem dúvida, poderosamente estimulante a ideia de que se pode contar com um futuro cada vez melhor. Pode o cidadão americano não chegar a presidente; mas não é uma justa alegria que esteja sempre a caminho de exercer a mais difícil função governativa? Não há nisso uma sustentação constante de interesse pelo progresso próprio?

Os jovens que servem nos *drugstores* e refeitórios das universidades americanas, como copeiros; nos dormitórios, como arrumadores; ou, em diferentes lugares, como jardineiros, ascensoristas etc. – desempenham essas modestas funções com a maior naturalidade, sem a menor sombra de constrangimento. As horas que dedicam a essas ocupações se equilibram com as que empregam nos estudos; e muitos deles têm mais de um grau universitário.

Quando o estudante brasileiro, chegando a terras da América, se dá conta de que os seus contos de réis não dão nada, traduzidos em dólares, procura, naturalmente, remediar a situação, obtendo um emprego. Como se sente, porém, desajeitado, inferior, infeliz, o inexperiente brasileirinho, se lhe propõem servir de garçom, aparar a relva dos parques universitários ou fazer a limpeza de uma pensão de estudantes! Não é que o ambiente não lhe seja propício, – ao contrário. Mas são os tabus que o acompanham: a sinistra ideia de que trabalho é função de escravo – a última e dolorosa herança que o cativeiro parece ter-nos deixado!

Pouco a pouco, o exemplo constante vai vencendo os secretos complexos. O brasileirinho vê os colegas bem-humorados, com o barrete de banda, servindo *ice creams*, carregando bandejas com almoços e jantares, transportando baldes de água – tudo como numa competição esportiva, onde, portanto, um procura mostrar sua capacidade de servir melhor. Então, uma grande alegria o invade. Vê como esse obscuro trabalho pode permitir-lhe as coisas a que ele dá enorme apreço: o automóvel, o cronômetro, e todas as possibilidades de cultivar a indispensável mania de qualquer coleção. Mais do que isso! O obscuro trabalho, que tanto estranhava a princípio, é que lhe vai permitir o custeio dos estudos!

Essa é a maneira por que o americano sem fortuna consegue melhorar de vida, trabalhando para estudar. Nesse trabalho emprega ele toda a sua boa vontade, mantendo a cara sempre sorridente, porque o sábio conselho nacional é conservar o sorriso *keep the smile!*, apoiando a célebre teoria psicológica de que a nossa vida interior depende da expressão que imprimimos à própria face.

Terminado um curso, o estudante já se interessa por outro; o certificado do primeiro permite-lhe um acesso na vida material; o do segundo trará idêntico benefício. E assim prossegue o estudante na sua marcha, alternando trabalho e estudo num harmônico ritmo.

A ambição do brasileiro não me parece, por enquanto, tão poderosa quanto a do americano. Tão poderosa ou tão intensa. Talvez, aliás, não seja isso um mal. E não é a imitação fiel de uma prática bem característica dos Estados Unidos o que este artigo pretende. Este artigo pretende apenas tratar da diferença do conceito de trabalho, entre os povos. Pretende despir de preconceitos anacrônicos os brasileiros que ainda por vezes se envergonham de aceitar uma profissão humilde, ou, em último caso, aceitando-a, transportam-na como quem leva uma cruz ao ombro.

Principalmente os estudantes do Brasil poderiam encontrar nestas palavras um estímulo aos estudos que são obrigados a vencer com dificuldades, por contingências de fortuna, desde que soubessem encontrar no trabalho – seja qual for – a solução para os seus casos mais cruéis. Esses casos não são uma especialidade nossa. O sofrimento é uma espécie de distintivo humano. Apenas – e essa é a especialidade dos Estados Unidos – a constante, obstinada e inteligente busca de um corretivo, de um reajustamento social, acaba por elevar os mais desfavorecidos. E por esse motivo tanto se preza, naquelas terras, o chamado *self-made-man*, o homem que se fez a si mesmo, por si mesmo, pela sua perseverança, pela sua inquebrantável confiança no futuro e sua submissão ao presente, profunda, mas sem humilhação.

Rio de Janeiro, *A Manhã*, 28 de agosto de 1941

[Walt Disney no Brasil]

A presença de Walt Disney no Brasil vem pôr em foco os assuntos do nosso folclore, a que apenas um limitado número de apaixonados cultores se tem dedicado, por anos a fio, e sem que os seus esforços pareçam ter impressionado muito o público em geral.

No entanto, o folclore, disciplina que reúne as tradições, superstições, usos e costumes dos povos, merece ser colocado em elevado nível de apreço, principalmente porque ele é um resumo vivo da alma coletiva, sua mais ingênua forma de revelação e contato.

Podemos não conhecer muito, e acertadamente, a respeito da história de um país; mas, se conhecermos as canções com que as mães embalam seus filhos, as que são cantadas pelas crianças, ao entardecer, em qualquer pracinha ou jardim; as abusões que movem os adultos, no exercício diário da vida; a medicina popular a que recorrem, com suas práticas mágicas; as cerimônias que presidem aos grandes lances sociais e humanos – nascimento, casamento, morte, – as histórias relacionadas com o país – lendas da terra e do homem, – poderemos, com esses dados – considerados, por muitos, elementares e tolos – penetrar a alma desse povo melhor do que lendo muitos livros cheios de nomes e datas.

As coisas populares são as que caracterizam, identificam um país; as que lhe dão personalidade. São formas vivas, mais próximas da terra, com uma seiva de autenticidade que as torna reconhecíveis e inteligíveis mesmo quando sobre elas pesam outras camadas sociais, que, por diferentes influxos, se tornaram amorfas e incolores.

As contribuições da civilização tendem, naturalmente, a extinguir uma grande parte das propriedades folclóricas. E é certo que um educador clarividente se vê, ao tratar com o povo, entre estas duas pontas do dilema: ter de corrigir certas ignorâncias, por motivos principalmente de higiene física e moral, ou ter de preservar o folclore, com as suas florações por vezes absurdas e prejudiciais. Evidentemente, a força do popular, do tradicional, está em ser durável, resistente às inovações da ciência, com a qual mantém mais ou menos as mesmas relações que há entre a eternidade e o tempo.

O acertado parece, pois, recolher, como informação, o que existe na alma quase sempre complicadíssima da gente chamada simples. Desse material, remover o que se considerar nocivo ao bem-estar dessas criaturas, esclarecendo-as, educando-as: trabalho para várias gerações. O material removido conserva-se para estudo dos especialistas e dos curiosos.

Mas, e a imensa quantidade de elementos aproveitáveis contra os quais a ação educadora, quando bem conduzida, não deve praticar o mais leve atentado?

Pois não são, por exemplo, as criações populares que, em certos lugares, constituem o encanto da região e uma fonte de vantagens para o país? Os turistas – gente que definha por excesso de dinheiro em ambientes estandardizados, ou gente que verdadeiramente ama o popular, e vive de um lado para outro, fugindo à ameaça daqueles ambientes – andam à cata dessas pequenas coisas vivas que são as criações folclóricas: bordados e joias, cerâmicas e rendas, canções e danças, vestuários e receitas de cozinha, lendas e fábulas – tudo motivo para seu encantamento.

Infelizmente, os tempos são esquisitos. Muitas dessas coisas, como as de caráter literário, eram transmitidas pelas avós. E onde é que existem ainda avós? Tudo são netos, e netos sabidos, ultracivilizados. Uma vez ou outra se ouve falar em "música folclórica". Salvo alguma exceção, oxalá seja música, porque de folclore...

E o resto? Sabemos que há muita coisa interessante pelo Brasil adentro – rendas, barros, cuias, cestos... Motivos a aproveitar numa educação bem conduzida, como se vê entre muitos povos. Mas o que possuímos é dificílimo de obter, e fica, assim, confinado à região produtora, sem influir no resto da população, regionalizando-se, em vez de nacionalizar-se.

Quando os turistas ansiosos consultam a rosa dos ventos para saberem do itinerário que conduz às "curiós", – sofrem profundas comoções. E quando sucumbidos lá chegam, debatem-se aflitos entre as industriazinhas mui bem organizadas, e até certo ponto simpáticas, das asas de borboletas, das águas-marinhas, e das paisagens de madeira embutida. Ai de nós!

Felizmente, Walt Disney veio descobrir para os brasileiros os encantos e as travessuras do tatu e do jabuti. Até que enfim os grã-finos vão ficar extasiados diante das nossas onças-pintadas, do papagaio louro, do tamanduá e do mico!

Os folcloristas que têm trabalhado em silêncio, os artistas que têm morrido de fome e de incompreensão (e os que ainda estiverem morrendo) devem abençoar a visita do criador de tantos filmes maravilhosos.

Abençoá-lo fazendo votos para que as imposições da técnica ou da indústria não o obriguem a desvirtuar o espírito da fauna folclórica brasileira, a fim de que os futuros filmes, que vão fazer o papel das extintas avós, para as nossas crianças, não venham atrapalhar o que constitui o fundo tradicional da nossa história popular, e a sua graça e malícia.

Rio de Janeiro, *A Manhã*, 29 de agosto de 1941

Imprensa e educação

O homem que compra o jornal está procurando, talvez, uma casa para se mudar; ou, aflito com o custo da vida, anda à cata da tabela dos preços; talvez precise saber das lojas que vendem saldos, dos remédios que curam doenças, dos nascimentos, casamentos e mortes de cada dia. Casa, comida, roupa, saúde – e uma informação geral sobre a sociedade, eis um plano de vida modesto mas honesto. E sobretudo muito difundido.

O homem que compra o jornal pode ter, porém, outras curiosidades: quantos aviões tombaram, quantos soldados morreram, quantos fugiram; qual é o programa dos cinemas... E até se pode interessar pelos livros que aparecem, pelas exposições e concertos que se realizam. Isto já é um plano de vida mais amplo, e o jornal atende a todas essas curiosidades.

O jornal não tem culpa, se as casas anunciadas estão cheias de ratos, se as fazendas do saldo estão cheias de manchas, se o remédio não cura a tosse, e os noivos, recém-nascidos e mortos frustraram o cálculo das probabilidades... Também não é responsável pelos algarismos das agências telegráficas, pela vitória dos azuis ou dos vermelhos, pela qualidade dos filmes, dos versos, dos quadros e dos musicistas.

O homem que compra o jornal depende, porém, de todas essas informações. Sua vida completa-se com elas. O jornal substitui o pajé: sabe de tudo, diz onde estão todas as coisas, ensina os caminhos poupando tempo, indagações inúteis. E tudo isso por quanto? Divina invenção, por três tostões.

O homem que compra o jornal pode ser, porém, um cidadão mais exigente. Não se contenta com o *que* e o *quem* e o *onde* e o *quando*. Quer o *como*, o *porquê* e o *para quê*.

Há uma espécie de elo sobrenatural entre o jornal e o leitor. A simples letra de forma parece carregada de fluidos mágicos. O que está escrito – é. Seiva profética. Inscrição do festim de Baltazar.

Pois não é natural que o homem, acostumado a encontrar o que os jornais anunciam, se deixe mecanizar na leitura e, sob uma espécie de hipnotismo, vá também aceitando tudo quanto não é mais anúncio, mas como anúncio funciona, para a sua receptividade? Porque o jornal-pajé pode responder ao *como*, ao *porquê* e ao *para quê*.

O homem que compra o jornal tem um questionário imenso, dentro de si – um questionário vago, mas vivo. O mistério da leitura do jornal consiste em que as coisas escritas são respostas para coisas não perguntadas, mas existentes dentro de cada um como nebulosas interrogações. Tal qual na vida e no sonho.

O homem que compra o jornal está repleto de problemas assim: Como se educará o menino? Como a família seria feliz? Por que a inteligência do chefe nunca está de acordo com a minha? Por que os Estados Unidos fazem isto, e Portugal aquilo, e nós aquilo outro? Para que se vende, se compra, se queima? Por que dizem uns ser o campo melhor que a cidade, e, outros, a cidade melhor que o campo? Por que fulano matou? Por que sicrano morreu? Etc. etc. A cabeça do homem que compra o jornal é como a do que não compra: um abismo de nebulosas interrogações, que aumentam, diminuem, vão, vêm, parecem espumas, parecem nuvens, – mas de repente tomam uma forma complicada, viram dragão, viram esfinge, arreganham a bocarra, e bradam para o infeliz: "Responde-me ou devoro-te!"

O homem que lê o jornal (não estamos tratando agora do outro) naturalmente não quer ser devorado. E lê.

Ora, é difícil responder às esfinges. Não são os anúncios e as simples notícias que lhe podem dar resposta. Essa é a razão por que um jornal não pode dispensar o jogo constante das ideias, tendo como orientação o bem comum. Compreende-se, então, como o jornal é uma força educativa extraordinária: pela amplitude da sua órbita de ação, pela facilidade de acesso a todas as classes sociais, e pela sua renovação diária, o que lhe permite acompanhar a vida em todas as suas transições.

Mas o jornal, como qualquer outra leitura, não é nada, por si mesmo. Assim como o leitor depende dele, também ele depende do leitor, para uma ação de real eficiência.

Em muitos casos, por exemplo, o jornal não pode ser senão um compêndio, uma síntese ou um índice. Mesmo a sua efemeridade lhe empresta um secreto destino de imperfeição. Esses defeitos devem ser corrigidos pelo leitor. Quase se poderia falar, muito americanamente, numa "arte de ler o jornal". O jornal encaminha para outras leituras, para outras atividades, sugere, inspira, vitaliza. Daí por diante, o homem que compra o jornal passa, de freguês, a colaborador. Reflete sobre o que leu, recorda, compara, planeja, experimenta. Quantos estudos, quantas invenções, quantas mudanças de rumo na vida individual ou coletiva têm dependido de uma linha de jornal!

(E há gente que diz ler até nas entrelinhas!...)

Rio de Janeiro, *A Manhã*, 31 de agosto de 1941

Conforto rural

Há pessoas que, ao procurarem o campo como repouso ou passeio, não o podem imaginar senão como um violento contraste da cidade: casa rústica, estradas difíceis, cama dura, comida malfeita. É uma espécie de penitência que se impõem. Como se, com remorso da vida insensata da cidade, resolvessem, de repente, dedicar-se a uma experiência ascética. E, ao voltarem, contam aos amigos, com um certo orgulho de quem venceu duras provas: "Dormíamos às 7 da noite, comíamos feijão com angu, tínhamos uma cama de caixotes, e não abrimos um livro, todo esse tempo." E parecem felizes.

Todos nós sabemos que, em muitos pontos do Brasil, o campo é assim mesmo – começa com estradas difíceis, continua com habitações inadequadas, termina com a fatalidade das instalações de luz, de esgoto etc. Mas não é isso o que deve caracterizar o campo. Não são as suas deficiências em relação à cidade que devem servir de estímulo para aí continuarem a viver os que já vivem, ou para aí se transferirem os outros.

Justamente essas deficiências produzem, no morador do campo, uma invencível aspiração pela cidade, quando alguma vez já desfrutaram do seu conforto. Assim, a maneira de fixá-lo no seu ambiente é assegurar-lhe todas as facilidades materiais da vida urbana, que servirão para salientar os encantos e as vantagens do ambiente rural.

O homem da cidade, por sua vez, precisaria modificar suas noções acerca do conforto no campo, levando-lhe as comodidades a que está habituado nos grandes centros.

Ir para o campo não significa simplesmente "pastar", como dizia aquele personagem do Eça.

A vida do campo tem o seu ritmo próprio, feito de convívios com a natureza, de simplificações de hábitos, – mas dentro de um sentido de beleza que a própria paisagem impõe.

Uma casa de campo não deve, decerto, possuir um mobiliário como o de muitas casas de cidade, nem os seus adornos, quase sempre desnecessários, e muitas vezes ridículos. Mas há uma porção de objetos simples, rústicos, de produção regional, que podem ser encantadoramente utilizados nessas habitações, preparando uma atmosfera em harmonia com as atividades do campo. Não é a riqueza que faz a alegria da vida: é o equilíbrio, é a propriedade na disposição de cada coisa em seu lugar, de uma decoração que empreste ao ambiente doméstico um ar de vida realmente vivida, não de uma frívola representação de atos diários.

Os rudes caminhos rurais têm uma fisionomia pitoresca, e alguns são interessantes, com todas as suas asperezas, como cenário de passeios e folguedos. Mas os caminhos principais, necessários a um rápido trânsito, esses não podem deixar de ser bem tratados e providos de todas as condições modernas indispensáveis à facilidade das comunicações.

É sem dúvida muito poético ver a noite no campo iluminada apenas por estrelas e vaga-lumes; porém apenas com estrelas e vaga-lumes não se pode ler um bom livro, ter notícias da vida pelas revistas que chegam de toda parte, ou a oportunidade de um entretenimento e muitas vezes de uma útil conversa. O lampião de querosene é apenas uma estrela doméstica, muito mais próxima, porém com muito menos luz...

Ir para o campo não é propriamente "pastar"... De modo que a vida do espírito tem de ser atendida com maior importância do que na cidade, onde o torvelinho das inutilidades ofusca muitas vezes as verdades essenciais ao homem.

E, ainda quando fosse "pastar", apenas, – por que se decidiriam as criaturas a pastar mal, deleitando-se com um alimento por vezes planturoso, excessivo, inadequado, – sob o pretexto de que está de acordo com a atmosfera rural?

Há uma culinária regional, decorrente dos produtos característicos das várias zonas: mas ruralizar não é embrutecer. E por que não dar beleza mesmo às coisas de culinária, ou principalmente a elas, que são dados mágicos com que recompõem os mistérios da nossa vida?

E por que se há de querer que os sonos dormidos no campo o sejam em camas de dura palha, contraindicadas à própria saúde?

Adoecer no campo, sem recursos prontos da ciência, é uma das razões que apavoram o homem de outros meios, impedindo-o de afastar-se dos grandes centros.

– E como educar nossos filhos? – pergunta-se frequentemente, diante da possibilidade de uma residência fora das cidades.

Na verdade, a própria obra de educação ainda não pôde realizar tudo quanto dela se espera, em relação à escola rural.

E essas são as coisas que precisam ser tratadas com atenção, mais do que atenção: com amor – quando se pensa em viver no campo, ou em nele fixar alguém. O campo, valorizado pelas aquisições da civilização, não perde o seu caráter de campo – todas as suas virtudes ressaltam, emolduradas por um conforto adequado. E, com esse conforto essencial, não há homem digno desse nome que troque a beleza saudável da vida tranquila, equilibrada com todas as outras fontes de vida oferecidas pela natureza, pelo torvelinho enlouquecedor da cidade, nos seus setores, cada vez mais amplos, de competição, desorientação e desespero.

Rio de Janeiro, *A Manhã*, 3 de setembro de 1941

História da educação no Brasil[2]

O professor Inácio do Amaral acaba de realizar uma conferência sobre a história da educação no Brasil. Essa recapitulação é extremamente importante, nos dias que atravessamos, quando todas as pessoas de responsabilidade se sentem compelidas a colaborar na solução de um problema que ninguém duvida ser o de mais relevância nacional e humana.

O principal ponto de referência para o estudo da educação no Brasil é a data da conhecida Reforma de 1928, que, com o advento do período revolucionário, encontrou um ambiente de experiência promissor de resultados úteis.

Esses resultados, porém, não se manifestaram em sua plenitude, por vários motivos. A mudança de regimes ou mesmo de simples diretrizes políticas determina uma grande instabilidade nas instituições, nas ideias e nos indivíduos. Em tais momentos, o que está destinado a perecer busca todos os meios de sobrevivência, e aquilo que mais vitalidade arrasta em si não encontra ainda onde firmar sua existência. É necessário o milagre eterno do tempo, o esgotamento das paixões e a volta ao equilíbrio da inteligência, para que os velhos mitos sejam absorvidos pelo passado, e os homens se acostumem aos mitos que se atualizaram, e que formam a nossa realidade de criaturas precárias, em constante, porém muitas vezes saudável, transformação.

Decorridos tantos anos depois da séria tentativa de reforma educacional de 1928, não é inoportuno passar revista à situação do Brasil, nesse terreno, de então para cá.

As estatísticas oferecem uma bela cópia de melhoramentos nos vários setores do ensino – escolas, instituições diversas, planos universitários, reorganização de programas. Tudo isso se relaciona com "o quê" e "como" se ensina. É o domínio, propriamente, da "instrução".

No domínio da "educação", as perguntas se referem a "por quê" e "para quê". A instrução é um instrumento, mas a educação é uma finalidade,

---

[2] Como se vê, Cecília Meireles considera que a Reforma de 1928 foi o ponto inicial de referência para a renovação da educação brasileira. Ou seja: deu início ao processo. (N. O.)

embora seja uma finalidade que não excede a sua órbita própria, não se imiscui nem se confunde com outras, nem se deixa atrair pelo seu poder.

Certamente, admitindo-se que o homem é idêntico, em toda parte, as experiências educacionais realizadas noutros lugares do mundo devem constar como documento digno de estudo, capaz de fornecer importantes sugestões.

Essas experiências, realizadas conscientemente, têm estado a serviço de um determinado ideal: tinham um fim em vista; não eram, apenas, variações na rotina pedagógica.

Estes dez anos diferentes que o Brasil tem vivido aconteceu coincidirem agora com uns anos bem diferentes para o resto do mundo. Sejam quais forem os resultados finais destes graves dias, o indiscutível é que o homem não está humanizado.

Qual é essa educação que tornará o homem bom sem ser débil, forte sem ser monstruoso, livre de todos os excessos e fanatismos, e equilibrado ao mesmo tempo no universo a que pertence, na sociedade em que vive e no indivíduo que é?

Rio de Janeiro, *A Manhã,* 6 de setembro de 1941

Educação ao alcance de todos

Há povos que se caracterizam por uma elite de grandes e finos valores humanos, em contraste com multidões densas incapazes ou abandonadas. Se essas multidões são, pelo menos, pacíficas e disciplináveis, tornam-se uma propriedade passiva do grupo esclarecido, que, segundo a sua índole, as pode tornar felizes ou infelizes. Em caso contrário, dão origem a desentendimentos e tumultos, geram violências, produzem catástrofes.

Há povos que se caracterizam pela atenção com que procuram educar as multidões. Uma educação de tal modo extensiva pode determinar o nivelamento dentro de um padrão médio, sacrificando mesmo a possível existência de originalidades individuais; mas tem a virtude de dar mais equilíbrio a todas as unidades sociais, e de abolir os profundos antagonismos que de outra forma seriam inevitáveis.

O viajante que atravessa os Estados Unidos tem, em primeiro lugar, a impressão de que o país, em si mesmo, é o livro de leitura mais generalizado pelo povo. E que livro profundamente instrutivo!

As estações de estrada de ferro ou de ônibus, os postos de gasolina, as paredes, os cartazes dos caminhos, a beira das calçadas, as vitrines, os rótulos – tudo são páginas desse livro colossal que todos os cidadãos leem e por onde, portanto, a mentalidade de todos os cidadãos se vai homogeneamente formando.

Não contente com as inscrições, o americano traça verdadeiros diagramas pelo chão, põe símbolos luminosos por onde pode – e, assim, o cidadão, como o estrangeiro, nunca se sente só: tudo está velando por ele, pelo seu bem-estar, pela sua comodidade, pela sua vida – e, ao mesmo tempo, pelo bem-estar, pela comodidade, pela vida de toda a população.

"Levante-se com cuidado!" – diz, no ônibus, a capa do banco anterior. "Cuidado com o degrau" – diz o próprio degrau do ônibus. "O motorista deste ônibus se chama Fulano de Tal" – diz o quadrinho, na frente, para não haver complicações, em caso de desastre.

As estradas em rampa têm símbolos riscados. "Quando chegar aqui, fique bem dentro da mão." "Daqui a meia milha, encontrará um campo de turismo" – diz o cartaz ao lado. E se o viajante não sabe onde está, basta esperar que passe o primeiro poste de aviso, onde se encontram indicados o número do caminho e o estado a que pertence.

Nas cidades, as luzes verdes e vermelhas não constituem, apenas, ornamentos luminosos, como acontece noutros lugares. Não. As luzes verdes e vermelhas são uma ordem de passar ou esperar. E o transeunte as interroga, antes de tomar uma resolução.

As calçadas falam com toda espécie de gente: "Aqui não se encostam carroças" – diz uma. "Aqui, as carroças só podem parar das 7 às 9" – diz outra. "Deste lado, só automóveis" – acrescenta uma terceira.

As vitrinas informam sobre o que está exposto; os rótulos dos preparados não se limitam a exibir o "aprovado" da Saúde Pública e a explicar o uso dos mesmos: ensinam o comprador a abrir o frasco ou a lata: "puxa-se do lado de cá, levanta-se ali, vira-se para o outro lado" etc.

Em alguns casos, ensinam a pronúncia. Não me esqueço de um creme que vi numa vitrina. O rótulo dizia: "Sitroux" – e, entre parênteses: *(pronounced "sit-true")*.

Às vezes acontecem coisas engraçadas, para os estrangeiros, que pensam com mentalidade diferente. Como no caso do papel para limpeza do rosto, apresentado sob a forma de caderno, tendo uma primeira página de papel acetinado, colorido, impresso, explicando o uso das folhas seguintes, e avisando os distraídos: "Esta primeira folha não se usa..."

E como o unguento para queimaduras de sol, pegajoso e denso, com o lembrete: "Não passe no cabelo!"

Um livro pode trazer uma espátula de papelão, tendo impressa uma lição completa sobre a maneira de manusear os livros...

As listas dos restaurantes podem trazer uma lição detalhada sobre a composição de cada prato, seu valor em calorias etc.

Tudo está previsto, no imenso país, para que o povo acerte, em cada coisa que faz. Como os americanos têm o hábito singular de colocar os pés noutra cadeira, quando se sentam, o cemitério de Arlington, que tem a curiosidade de possuir um teatro, no meio, avisa ao público, para salvar a brancura dos seus mármores: "Não ponha os pés em cima dos bancos!"

Os latinos sorriem de coisas destas. Porque houve um tempo em que os latinos tiveram etiquetas, uma educação minuciosa sobre esses pequenos nadas tão importantes. Mas hoje, que a etiqueta latina se vai perdendo, que os americanos são os que publicam volumosos livros sobre a maneira de estar à mesa, de escrever cartas, de travar uma conversa, de cumprimentar uma senhora, – não será bom que os latinos recordem o que já souberam?

Não será bom pensarmos nessa elementar educação que as cidades transmitem dia e noite, pelos seus cartazes, pelas suas inscrições, pelos seus livros, revistas, jornais, vitrinas, rótulos, portas, paredes, degraus, bancos, – em lições quase ingênuas, mas que, com a sua insistência muda, vão modelando os homens todos para a realização normal e diária da vida?

Rio de Janeiro, *A Manhã,* 7 de setembro de 1941

Cinema e educação

O espetáculo "Fantasia", em que Walt Disney reúne uma série de desenhos animados, inspirando-se em famosas peças de música, não corresponde, em certos pontos, ao que muitos espectadores poderiam esperar.

O erro foi propalar-se tanto que se tratava de uma espécie de interpretação mágica das músicas escolhidas. Interpretação não deixa de ser. E interpretação é coisa pessoal, que cada um realiza como pode, ou quer, com a máxima liberdade, desde que seja para seu uso exclusivo. Oferecer ao público uma interpretação que não guarde certa proximidade com o assunto interpretado é desagradável e perigoso. Desagradável, porque as pessoas irreverentes se riem do intérprete. E perigoso, porque as pessoas de boa-fé acreditam na interpretação, e adotam-na.

Ora, se é verdade que os desenhos estão, como sempre, cheios de qualidades, e muitas cenas se acham arranjadas com graça e gosto; se o estudo sobre Bach divulga a correspondência entre sons e cores, célebre desde o soneto de Rimbaud, e aqui aumentada da expressão geométrica; se "O aprendiz de Mágico" tem o caráter de um bailado engenhoso, e a música de Tchaikowsky amavelmente permite aqueles vários jogos rítmicos da imaginação – que diremos da Pastoral de Beethoven, com mocinhas centauras que têm a seu serviço cupidos chapeleiros e escravas pedicuras com aquela figura típica das gordas criadas mulatas americanas?

Os amadores de música têm sofrido muito com o espetáculo – que é, no entanto, altamente elucidativo sobre o funcionamento da mentalidade americana, partindo de um elemento musical familiar à sensibilidade latina e, especialmente, brasileira.

Por ele se veem as diferenças entre o estilo de "sonho" de cada povo, e que ausência de profundidade trágica se revela em cada desenho, cujo espírito puramente lúcido de vez em quando tende a deformar-se em visão caricatural.

"Fantasia" seria mais interessante se outras fossem as músicas escolhidas – já que se desejavam fazer os desenhos sobre música.

Mas o espetáculo tem muitas qualidades – além dessa de permitir a análise das interpretações.

Uma dessas qualidades é, por exemplo, o estudo da peça de Bach. Conseguir prender um salão cheio diante de uma tela onde apenas aparecem e desaparecem filetes, manchas, raios, ondas, relâmpagos de cor – eis uma conquista que vem ajudar a todas as outras artes, preparando a sensibilidade do público para a fruição pura – sem contaminações descritivas nem sentimentais.

Outra é a que demonstra, mais uma vez, a largueza de possibilidades do desenho animado em cinema educativo. A técnica cinematográfica é desde muitos anos considerada auxiliar poderoso do professor, em todos os campos de ensino. Mas para que o cinema possa filmar é necessário existir o objeto filmável. Em inúmeros casos, o objeto existe por si mesmo, como nas ciências físico-naturais. Noutros, é suscetível de ser revivido, como para os casos de história. O perigo está, precisamente, na interpretação que se conseguir dar.

Mas, em certos casos, só o desenho animado está em condições de tornar visíveis e compreensíveis coisas que, apenas através dos livros, parecem difíceis ou áridas.

Principalmente no tempo atual, em que as pessoas entendem com mais clareza vendo do que lendo, por influência do mesmo cinema, que, de tanto apresentar as coisas em seus menores aspectos, amortece a imaginação – é necessário aproveitar do cinema tudo quanto possa oferecer de vantajoso, para compensar os prejuízos que é capaz de causar.

Os desenhos de Walt Disney para a música de Stravinsky podem desgostar os amadores da música, pela possível diferença de interpretações. Considerando-se, porém, o desenho separadamente, não se pode deixar de apreciar toda a sugestão que nele existe, de tempos impossíveis de recapitular, em sua extensão e com os seus panoramas, sem o auxílio dessa técnica, de maravilhoso poder.

Além disso, é o cinema um grande livro que pode ser visto, ao mesmo tempo, por um grande público – e uma boa coleção de filmes científicos, fortes e vivos como essa pré-história de Walt Disney, equivaleria a uma biblioteca de divulgação científica, uma biblioteca ambulante, indo até as populações rurais, até os iletrados, para os quais um locutor discreto, sem bizantinismos de linguagem nem de voz, serviria de explicador – ampliando a órbita de cultura das classes mais desfavorecidas.

Rio de Janeiro, *A Manhã*, 9 de setembro de 1941

Homens, crianças e bichos

Quando Rainer Maria Rilke se pôs a aconselhar um poeta que o consultava sobre a maneira de se orientar na carreira literária, lembrou-lhe, como sugestão final, o aproveitamento dos motivos que guarnecem o mundo da infância.

Como lhe parecia rico e delicioso esse mundo, que ele, pessoalmente, soubera conservar com tão profunda poesia, animando cada pequena lembrança com o alento mágico da sua emoção!

Mesmo os que não se destinam à carreira literária, é para esses encantados lugares que dirigem seus pensamentos, quando necessitam compensar os dias amargos a vencer. Paraíso perdido, esse reino da pureza é feito de pequenos nadas que amávamos entranhadamente; é feito da nossa própria substância, transmitida a outras coisas e a outros seres. Criação nossa, quando o sopro da imaginação influía tão poderosamente nos elementos em redor.

Ou a vida tem lances de um supremo desespero, ou a força vital da infância é na verdade transfiguradora – pois, até entre os que não foram crianças felizes, são os dias de outrora, os primeiros tempos no mundo, que tomam, na paisagem do passado, os relevos mais perfeitos, e as cores mais belas.

Mas, se a infância – ou, pelo menos certas infâncias – possui essa prodigiosa capacidade de tudo recriar com maravilhosas luzes, também algumas das desgraças humanas podem ter suas raízes nesses remotos sítios. Terríveis acontecimentos podem imprimir-se, para sempre, na pequena criatura indefesa que será depois uma estranha vítima, conduzida por distantes e secretas causas.

Esse é o motivo por que os educadores tanto se interessam em povoar de fatos agradáveis ou sugestivos o mundo, por vezes árido, das crianças.

Quantas existências se animam, num momento de infortúnio, pela esperança que aprenderam, um dia, num sorriso de ternura, numa palavra carinhosa?

Disse-me, certa vez, uma pessoa que tem vivido sempre acompanhada de melancolias: "Quando acabei o meu curso primário, tive um júbilo enorme; corri para a professora, e gritei-lhe: 'Que bom! Agora sei tudo!' E a professora respondeu-me com desdém: 'Deixa-te de vaidade! Que é que tu sabes? Não sabes nada de nada!'

Ora, esse monstro pedagógico ficou para sempre sem saber que o seu pobre aluno, durante toda a vida, sempre que se animava a tentar alguma coisa mais importante, sentia um súbito medo, e retrocedia. Dos abismos da infância a fera didática lhe sibilava: 'Não sabes nada... nada... Deixa-te de vaidade!' – E o seu entusiasmo parava."

Que mundo têm as crianças de hoje, as míseras crianças de hoje, perdidas entre fantasmas de guerra, miséria, êxodos?

Se nós, os adultos, que já sofremos a nossa vida, sentimos um sofrimento novo a cada dia, pelas catástrofes que nos cercam – de que maneira poderemos salvar as crianças, alimentadas por esses horrores, e ainda sem as capacidades de resistência que, a nós, nos oferece o raciocínio?

Que jornais abre, que filmes vê, que conversas ouve a criança de hoje que não sejam sobre assuntos de destruição? Mesmo quando o heroísmo parece abrir asas mais belas, – é a destruição contra a destruição, é a morte vingando a morte, é o homem inimigo do homem, pela conquista de um espaço vital que, por fim, se reduz a sete palmos, e até a menos, nessas ocasiões...

Como é doce recordar Portugal, essa terra de ternura, que no seu Jardim Zoológico, cheio de invenções curiosas, pôs um Zoo infantil, com bebês de todos os bichos, para as crianças se distraírem, numa verdadeira festa infantil da criação!

Até os filhotes das feras ficavam acessíveis às crianças – que, algumas vezes, os alimentavam, com mamadeiras!

Como no princípio de um mundo novo, uma atmosfera de felicidade rodeava esse território de confiança e paz.

Até os adultos se enterneciam. Possivelmente, os homens tinham não apenas desejo de regressar à infância, mas também certa nostalgia de serem tigres, cavalos, macacos. Pois a condição humana foi sempre uma grande responsabilidade, que vai sendo, aos poucos, uma tristeza e uma vergonha.

Rio de Janeiro, *A Manhã*, 11 de setembro de 1941

Perguntas

Ingrata é a tarefa do cronista de educação. Procura contar alguma coisa das suas observações e experiências, e logo aparecem os que lhe dizem: "Calai-vos, pois somos nós os que sabemos, nós, os técnicos da especialidade! Sobre a nossa mesa de trabalho, jazem quilos e quilos de pestanas queimadas, pestanas consumidas nas vigílias que dedicamos a essa questão!"

O cronista, humilde e maravilhado, ajoelha-se como um trovador medieval, e roga aos técnicos que lhe comuniquem um pouco da sua ciência, alguma coisa das suas cogitações:

> Dizei-me o que é a Cidade Universitária! Falai-me do Plano Nacional de Educação! Contai-me qual é o método de transformar crianças em adultos sem lhes arrancar as qualidades humanas! Dai-me números, números ao menos – estatísticas de crianças, de escolas, de professores...! Transmiti-me algumas notícias sobre os professores: se ainda existem, se têm o que comer e onde dormir, e saúde suficiente para preparar as lições! Mostrai-me os Jardins de Infância, preparando habilmente os pequeninos para enfrentarem a escola primária: com todos os sentidos alertas e uma encantada visão do mundo que os vai receber! Mostrai-me as Bibliotecas Infantis repletas de excelentes livros, frequentadas por inúmeras crianças! Deixai-me ver as escolas, ensinando coisas indeformadas, as escolas convertidas num lar mais amplo, onde se conservam todas as belas tradições da vida, ao lado de todos os descobrimentos e invenções da ciência! Depois de revelar-me tudo isso, dizei-me onde ficaram as outras crianças, aquelas que, por fatalidade, não podem estar brincando e estudando com as crianças sadias: as cegas e as surdas-mudas e as aleijadas!

Oh! O cronista leva uma longa lista de pedidos – maior que o repertório dos trovadores medievais. E roga tudo isso de joelhos, quase com lágrimas nos olhos – porque, para se ser cronista de educação, é necessário, antes de tudo, possuir-se alma profundamente romântica, e um cérebro estranhamente sentimental.

Mas os técnicos da especialidade olham para o cronista com um superior desprezo, consideravelmente fundamentado nos quilos e quilos de pestanas das ardentes vigílias em que vivem. E seus lábios, fechados sobre universos de conhecimento, fechados permanecem, com lacres espantosos, cujos sinetes não é fácil descobrir. Orgulho? Medo? Necessidade?

Oh! E o mísero cronista que supunha ser a sabedoria fonte pródiga, fonte cintilante e generosa, pronta a dar-se para sempre, tão certa da sua abundância que não temesse nunca terminar...

Então o cronista volta-se para os ignorantes, para os que precisam, e começa a fazer outras súplicas:

> Dizei-me o que vos falta! Dizei-me o que desejais! Quais são as vossas aspirações, crianças? Quais são os vossos sonhos, rapazes? Homens e mulheres, que quereis fazer de vossos filhos? Senhores, amigos, irmãos, companheiros, camaradas, conhecidos, desconhecidos, inimigos, gente de todas as idades, de todas as cores, que pretendeis, que pensais, que pedis? – dizei-me em que vos pode servir um cronista de educação!

Ninguém responde. Todos parecem acordar de um profundo sono, trazidos pela estranha pergunta. Mas logo no mesmo sono mergulham, como se agora não fosse tempo de responder nem perguntar, fosse tempo, somente, de dormir e esquecer.

Tudo isso deve ser da barulhada dos canhões, da convulsão dos mares, da agonia dos homens.

Mas se ao menos as que se calam estivessem pensando! Se os que estão dormindo sonhassem!

Porque, apesar da desgraça do mundo, todos os dias novas crianças abrem os olhos, e esperam. Mas esperam o quê? Se todos continuarem calados e adormecidos, que vai ser feito das gerações sobreviventes?

Rio de Janeiro, *A Manhã*, 12 de setembro de 1941

Brinquedos

Há muitas lojas de brinquedos por aí afora; mas, quando se trata de oferecer um presente a uma criança – e se tem a ambição de que o presente na verdade lhe interessa, – as dificuldades logo aparecem, e atrapalham todas as escolhas.

De um modo geral, todo o mundo admite haver presentes já selecionados para os dois sexos: bonecas, e tudo que se refere à habitação, desde a própria casa, até os aparelhos de louça e cozinha, passando pelo mobiliário e indo até os bichinhos familiares – galinhas e gansos, gatos e cães – como uma continuação, em miniatura, do ambiente doméstico.

Para os meninos, são as coisas ruidosas e ferozes: cornetas e canhões, trens de ferro e tanques, espingardas, soldados de chumbo, e outras menos belicosas ou barulhentas, mas relacionadas com a vida masculina – cavalos, coisas de mecânica, navios etc.

Bolas, cordas, bilboquês, e outros brinquedos do mesmo gênero, formariam uma categoria neutra, estariam dentro de uma espécie de "zona esportiva" e, como tal, poderiam ser oferecidos indistintamente a meninos ou meninas.

Até aí não há nenhuma novidade. Ninguém – a não ser mesmo uma pessoa suscetível de anormais distrações – se lembraria de oferecer um trem de cozinha a um garoto e um navio de guerra a uma menina. São coisas intuitivas, que estão dentro das leis da natureza, que fazem parte do bom senso comum.

Mas, se quisermos dizer que, assim como há presentes para cada sexo, também há presentes para cada idade, as pessoas mais normais deste mundo pensarão que estamos complicando a vida. Basta, porém, ver o problema com um vidro de aumento, para se compreender como é um problema justo e simples.

A uma menina de treze anos – das que ainda se consideram meninas – alguém se lembraria de oferecer um chocalho de celuloide ou um bichinho de borracha, desses que têm um furinho com um assovio? Enfim, como há coisas inacreditáveis e que, não obstante, acontecem, – imaginemos que assim fosse. Que cara faria uma menina dessas, em semelhante situação?

E, vice-versa, a um bebê de oito ou dez meses alguém se lembraria de oferecer um jogo de armar, desses que têm colunas, cubos, paralelepípedos etc.?

Evidentemente, esses são os casos extremos, mas que servem para ilustrar o problema com certo realismo.

Os brinquedos deviam ser cuidadosamente estudados, antes de serem industrializados. Mas, uma vez que isso é quase impossível conseguir, pois, educadores e pessoas de boa vontade devem pensar um pouco na sua significação e na sua influência, pelo menos no momento em que os adquirem, pretendendo levar a uma criança um momento de alegria.

Há uma clara relação entre os diferentes brinquedos e os países e épocas de sua produção. Se a boneca, eterna representação da vida humana, vem dos tempos mais remotos e se encontra mesmo nos povos mais primitivos, – os tambores e todo o material bélico já refletem o espírito de certas civilizações; como os trens e aviões são a natural consequência do aparecimento dessas máquinas.

Há, pois, que distinguir – tratando agora da "qualidade" dos brinquedos – entre os que estão ligados a coisas imortais, da humanidade, e os que apenas representam algumas das suas aquisições.

Se, por um lado, alguns educadores, desses idealistas a que ninguém presta atenção, se esforçaram, há tempos, por fazer uma profilaxia dos brinquedos, afastando das crianças todos esses de caráter agressivo, que podem, desde cedo, orientar as faculdades infantis para terrenos de combate, e mesmo os que permitem a evolução de certas tendências de domínio, poder, agressão – por outro lado, educadores e artistas têm pensado na invenção de brinquedos adequados – pois não é só criticar – é necessário, também, construir, para substituir.

Nesse sentido, uma das mais interessantes experiências foi a do pintor uruguaio Torres García, grande nome dos círculos artísticos europeus. Esse homem de vida extraordinária, no meio de suas atividades de pintor, indo e vindo da Espanha para a França, da França para a Itália, da Itália para os Estados Unidos, lembrou-se de produzir brinquedos artísticos, mas dentro de um conceito educativo que ele adquirira, observando a vida de seus filhos.

Segundo ele, são as coisas fundamentais, da vida, que devem inspirar os principais brinquedos. Essas coisas, inerentes à estrutura humana, são os dados elementares da própria natureza – o homem, os animais, as plantas, a água, o céu...

Esses elementos têm, por certo, uma realidade – mas também uma auréola de sonho. Há crianças tão bem-aventuradas que estão brincando com uma pedra e estão dizendo: "isto é um cavalo; agora, isto não é mais um cavalo; é um peixinho; agora, não é mais peixinho; agora é um elefante..." Por isso, não é encantador que se façam cavalinhos azuis e cachorrinhos de raças imaginárias? As coisas imitativas recordam o mundo que existe; as coisas sugestivas lembram o que não é, e, por esse método, ensinam as "noções" do que existe. Numas, a imagem; noutras, a ideia.

Vale a pena pensar nos brinquedos, que não são apenas ornamentos do mundo infantil, mas elementos vivos desse mundo, dados que a criança arma e desarma, aprendendo a vida, inventando a vida, fazendo e refazendo os sonhos que são as raízes de suas futuras realizações.

Rio de Janeiro, *A Manhã,* 13 de setembro de 1941

Passado, presente e futuro

Não se precisa ser cartomante nem cigana para aqui falar de passado, presente e futuro. Isto não é ser um oráculo, mas o Brasil a que já chamaram "país do futuro" está mui simplesmente colocado sobre um passado europeu e contempla, face a face, um presente que é americano.

Por isso, outro dia pensávamos que a educação dos brasileiros se devia fazer levando em consideração essas duas contingências; pensávamos, também, quanto seria útil, para as pessoas de responsabilidade, principalmente em matéria de educação, visitar esses dois países, tão diferentes, mas de tanta influência em nossa formação: Portugal e os Estados Unidos.

Portugal é uma coisa profundamente nossa, pela língua, pelos costumes, pelos atavismos, – e aí nos sentimos verdadeiramente como em família, com essa tranquila confiança que se tem em casa nossa, entre gente que se compreende e se estima. Mas uma casa nossa que vem de antigamente, que tem os retratos dos nossos antepassados nas paredes; que conserva as mobílias e roupas dos parentes por longas e longas salas; e onde se contam e recontam as histórias da família, dos amigos da família, dos seus inimigos, tudo miudamente, com a linguagem da época, na delícia de uma recapitulação eterna, infatigável e sempre em crescimento.

Nos Estados Unidos, somos visitantes. Visitantes de uma curiosa gente, que não se fixa nessas coisas de outrora, senão por um momento, na condição de turista, percorrendo em grupos os lugares vetustos, tomando notas apressadas do que o apressado cicerone explica – para o caso de poderem ser essas notas aproveitadas em algum livro de viagem ou tese de formatura, no próximo ano...

Do casebre da aldeia ao solar de província e ao palácio da cidade, tudo em Portugal é o labor do homem: até velhinhas, as mãos do pobre e as do rico estão pondo alguma pedra em seu lugar, arredando alguma planta, endireitando uma parede, – conservando.

Da construção de madeira ao arranha-céu, tudo, nos Estados Unidos, é uma vibração nova: as casas vêm prontas, das fábricas, e armam-se de acordo com as indicações dos catálogos; outros catálogos oferecem a sugestão do arranjo do interior, com seus móveis, cortinas, adornos; todas as máquinas se apresentam, oferecendo seus préstimos; e conhece-se a passagem do tempo pelo último tipo de cada invenção, num ritmo que vai sempre – substituindo.

Uma universidade, em Portugal, é uma coisa recendente a mistério: contam-se ali todas as crônicas de mestres e estudantes, século a século; as alfaias têm uma história que às vezes se mistura com a lenda; vestem-se os estudantes de um modo especial, têm hábitos interessantíssimos, que sempre foram assim; há galerias de quadros com personagens famosos, todos olhando com olhares imensos do fundo de uma antiguidade imóvel; há livros preciosos, que valem fortunas, não pelo que dizem, mas pelo tempo que encerram; os reitores enchem e assinam diplomas em latim...

O latim, nos Estados Unidos, serve para enfeitar a fachada das universidades – mas é um latim só decorativo, que ninguém leva muito a sério, pois todo o mundo conhece a tradução...; os estudantes andam vestidos como quiserem, e é muito interessante ver-se uma jovem de pijama cor-de-rosa que, em vez de ir para o quarto, deitar-se, vai dar entrada a um papel, na secretaria...; há bibliotecas formidáveis, com livros novíssimos, em quantidade capaz de atender a turmas inteiras – acompanhados de fichários ainda mais formidáveis, que a pessoa, depois de os ler, nem tem mais tempo para ver os livros...; os laboratórios estão equipados fantasticamente, e um estudante pode levar a vida inteira (e mais, se houvesse) contemplando, observando, analisando ao microscópio um inseto, um fungo, um pedacinho de qualquer coisinha, escrevendo, de vez em quando, uma linha sobre uma novidade que viu.

O universitário português vive numa pitoresca água-furtada por onde já passaram, por muitos séculos, muitos outros estudantes, todos com capa e batina, guitarra, sonhos – e diverte-se almoçando os mesmos almoços que alimentaram outras gerações – uma sardinha, uma azeitona, um gole de vinho – tal qual um grego de Homero, e com a mesma delícia. Diverte-se com serenatas, repetindo emoções de outras eras.

O universitário americano, sempre que pode (e para isso se esforça), tem o seu quarto numa habitação de estudantes onde há sala de recepção com móveis confortabilíssimos, ar-condicionado, rádio, piano, tapetes, cortina, quadros... Nada disso tem história... Ali não há lugar para lendas, recordações nem saudades...

E o estudante almoça ervilhas enlatadas pelo último processo, toma *ice creams* da última moda, e passeia de automóvel, mascando goma e ouvindo música de *jazz*, ou qualquer outra que as emissoras estejam distribuindo.

Para Portugal, a tradição é a vida; é a vida que pouco a pouco vai sendo aumentada de alguma coisa nova, convertida, por sua vez, em tradição. O passado prolonga-se.

Para os Estados Unidos, a tradição é matéria turística, que a gente vê, de vez em quando, nos museus, e por outros lugares especializados. O presente empolga e anula o passado.

Portugal é, para o Brasil, o amoroso passado; os Estados Unidos estão sendo uma espécie de sedutor presente. Mas o Brasil é o futuro. E quando um dia tivermos uma Cidade Universitária (porque ainda a teremos), ela refletirá, por força, um espírito novo, feito dessas heranças e influências, mas adaptado ao momento do tempo e ao destino dos homens a que tem de servir.

Rio de Janeiro, *A Manhã*, 14 de setembro de 1941

Recordação do México

Anuncia-se para breve uma visita de estudantes mexicanos ao Brasil. Isto nos faz recordar os tempos de intensa experiência pedagógica vividos por esse país, quando um grupo de educadores batalhava por princípios de elevação do povo, em geral, e, particularmente, pela incorporação do índio ao ambiente social, aproveitando-lhe as virtudes originais, moldando as suas aptidões de acordo com as oportunidades mais adequadas e úteis.

Todos os aspectos da educação eram, naquele momento, encarados com profundo interesse humano e grande inquietação técnica.

A educação urbana e a rural mereciam cuidados idênticos; apenas, como se tratava de dar ao homem do campo uma consciência perfeita da sua importância na ordem social, e por necessitar justamente essa classe de uma atenção mais esclarecida, – muitas iniciativas especiais eram tomadas, visando o ambiente rural e os seus habitantes.

Todos os métodos eram ensaiados, a fim de se atacar o problema simultaneamente, em seus múltiplos aspectos. Publicações de diversos gêneros vinham à luz: de cultura, de técnica, de propaganda. Tentava-se o teatro popular, com representações tradicionais, de fundo cultural, e, outras, de circunstância, com intenção instrutiva ou educativa. O rádio era empregado em serviços especialmente destinados ao melhoramento do povo, e os programas incluíam desde conselhos práticos até números artísticos de música e literatura. Editavam-se livros belos e simples, cujo espírito obedecia ao plano geral de educação. Promoviam-se concursos, nas escolas. Fundavam-se bibliotecas, por toda parte. A arte de ser professor transformava-se, verdadeiramente, nesse lugar-comum tão pouco comum: um sacerdócio.

Como os estudantes – pequenos ou grandes – nem sempre podiam chegar até todos esses benefícios, os benefícios se esforçavam por ir ao seu encontro. A escola, a biblioteca, o teatro, a farmácia, o médico faziam-se ambulantes. E até aos mais remotos lugarejos daquela curiosa terra caminhavam todas essas coisas magicamente, à procura de vidas a melhorar, de espíritos a esclarecer.

Ensinou-se ao homem simples a beleza da terra e das suas autênticas tradições. Ressuscitaram-se as lendas, as canções e as danças. Indumentárias arcaicas reapareceram em tablados modestos, ilustrando cenas e costumes desaparecidos. O que ainda existia de tradicional no trabalho do povo foi aproveitado e orientado, – malgrado os estragos que os turistas ocasionam, preferindo quase sempre o menos típico. E assim o povo aprendeu a amar com mais amor os seus *sarapes* deliciosamente tecidos, suas esteiras e cestas, seus bordados de antiga sugestão folclórica, sua famosa cerâmica, de maravilhosos motivos.

O professor rural tinha uma preparação técnica de grande órbita: ele orientava a alimentação dos habitantes do campo, zelava pela higiene da habitação, favorecia o cultivo das pequenas propriedades, ensinando princípios elementares da vida agrícola: cuidados com o solo, seleção das plantas, combate às pragas. Explicava sobre doenças e seu tratamento; interessava-se pela puericultura, protegia as mães e as criancinhas com seus conselhos e práticas, – e, assim, suas atividades não ficavam limitadas ao âmbito da escola: projetavam-se em todas as direções da vida humana, misturavam-se a ela, numa transfusão de conhecimentos ampla, generosa e sadia.

É preciso ter viajado pelo México para se compreender o significado de tão vasto empreendimento. Regiões desérticas se alongam, pálidas e esturricadas, tendo por únicos habitantes espinhosas palmas que parecem legiões de profetas, imobilizados quando clamavam.

Algum indiozinho com seu burrico se aventura por aqueles ermos – e some-se pelo horizonte adentro, para alguma paragem onde um fio de água arranque à terra qualquer coisa que não seja apenas aquelas palmas e cactos.

Quando a água aparece, então, a paisagem é outra. Logo os milharais sobem numa floresta densa de esmeralda, e, em certas zonas, legumes, frutas e flores alcançam tais proporções como se ali se concentrasse não apenas o poder da terra fértil, mas o sonho reprimido das terras secas, onde o leito dos rios extintos é como um vale de cinzas.

Em qualquer estaçãozinha pobre, a gente simples acorre à chegada do trem, com as mãos carregadas de esperança: rendas, bordados, panos, objetos de palha, de madeira, de metal – as indiazinhas velhas, como santas cristãs, enroladas nos seus mantos, oferecem-nos ao viajante com um ar de tamanha doçura que é impossível deixar de comprar – metade pela lembrança do objeto, metade pela da vendedora.

Seus filhos e netos estão por ali vendendo outras coisas: frutas, comidas típicas, outros panos, outros chapéus, outras cestas...

Na capital, o esplendor da conquista se sustenta nos velhos muros das igrejas e dos palácios – mas o esplendor do passado se acumula no museu prodigioso, e a vitalidade do presente irrompe nas cenas típicas de cada rua; de um lado e de outro, entre bondes e automóveis, lá vai o povo, com seus caracteres inconfundíveis. Passam os turistas, passam os doutores, os funcionários, passa toda a inteligência mexicana, evidente e transbordante – e vem a graça primitiva do homem de chapelão e *sarape*, da mulher envolta no seu *rebozo*, e, pelas esquinas, à porta das igrejas, ao longo das avenidas, é a camada popular que está vivendo com suas roupas, suas comidas, sua mercadoria.

A beleza do espetáculo não está apenas nas cores dessas roupas, na novidade das coisas expostas, na doce música dessas vozes, meio infantis. E não se diga que tudo é sem tristeza: há cegos cantando, há pobrezinhos mal vestidos, há sofrimento. Mas que impressão de sonho fecundo! Como todas as pequenas e grandes coisas produzidas por essas mãos humildes firmam seu valor efetivo em meio à grandeza da cidade, com toda a sua imponência moderna, e o relevo espanhol que, adormecido, a emoldura!

À porta do museu, contemplando qualquer pedaço de arquitetura antiquíssima, um indiozinho autêntico, de dez anos, dizia-nos como em sonho: "A professora deu-me um prêmio, na escola: visitar o museu. Vim ver o que fomos, antigamente."

O índio mexicano fala pouco. Quando esse dizia "vim ver o que fomos" – entendia-se tanta coisa, que realmente não era preciso falar mais nada.

Rio de Janeiro, *A Manhã,* 16 de setembro de 1941

Elogio da culinária[3]

Ouvi dizer que a cantora Grace Moore, que há pouco nos visitou, é, além de cantora, uma perita cozinheira, e tem em alta estima essa importante virtude doméstica.

Das personalidades americanas nunca se sabe até que ponto se pode acreditar, quando se trata de excentricidade, pois os Estados Unidos são, antes de mais nada, o país das grandes propagandas, quer se trate de uma grande ideia, quer de uma simples marca de cigarros.

O gosto da propaganda, nos Estados Unidos, alcança tão elevado nível que se arrisca mesmo a atentar contra essa coisa sagrada, noutros países: a gramática. E a ortografia que, entre nós, determina acordos internacionais, é, entre os americanos, uma diversão a serviço da propaganda, quando eles armam cartazes mais ou menos charadísticos, escrevendo "barbeq" por *barbecue*, "nite" por *night* e assim por diante, de modo a chocar violentamente o público, e, com esse traumatismo, fixar o objetivo em vista.

Nas histórias dos artistas americanos há sempre uma boa dose de complicação destinada ao efeito publicitário – e esse é o motivo por que não nos atrevemos a imaginar com absoluto rigor a cantora Grace Moore entre panelas e frigideiras, mesmo numa dessas esplêndidas cozinhas americanas que vemos, a cores, nos catálogos e revistas, e encontramos depois sua existência real, pela América afora.

Suponhamos, porém, que, desta vez, a propaganda não seja puramente arbitrária. Eis um formidável serviço que nos prestaria a cantora que entre nós deixou tantas admirações.

O Brasil é um país fortemente sugestionável pela moda. A moda é uma lei que se cumpre sempre com boa vontade e interesse. Mesmo quando, a princípio, não simpatizamos com uma coisa, basta que ela se converta em moda e já lhe encontramos certas desculpas, e em breve não a podemos dispensar.

---

[3] Como se vê, é bem amplo e flexível o conceito de "crônica de educação" nos textos de Cecília Meireles. (N. O.)

Os cariocas de Copacabana já começam a adotar uma indumentária que seus avós não aprovariam, que eles mesmos achariam ridícula se as revistas americanas e o cinema não lhes estivessem continuamente apresentando modelos assim, com os quais acabam por se familiarizar.

Muitas senhoras notáveis, incluindo artistas de diferentes artes, com o gosto do exótico e inesperado que caracteriza o povo dos Estados Unidos, lançaram a moda das fotografias democráticas, ao lado de fogões e diante de hortaliças – coisa, por si, nem inesperada nem exótica num país onde os criados têm uma existência mais ou menos mitológica, e a comida enlatada acaba por desesperar o estômago.

Essas fotografias salutares têm tido uma agradável influência na nossa vida doméstica, e muitas donas de casa, atualmente, se interessam tanto pela sua cozinha e pelo arranjo da mesa como, outrora, se interessariam pelo toucador.

Grace Moore não será, portanto, uma absoluta novidade. Mas poderá concorrer enormemente para estimular esses bons hábitos de dona de casa, tão necessários ao bem-estar comum.

O problema do empregado doméstico se encaminha, no Brasil, para as dificuldades já conhecidas nos Estados Unidos. E, infelizmente, não vemos o ensino profissional apresentar as soluções de que carecemos para o resolver.

Excluindo as possibilidades do ensino profissional, resta-nos a tradição, de tão considerável influência nas antigas famílias brasileiras, ou a dispensa do elemento doméstico, – solução a ser estudada pelos interessados.

A tradição da família brasileira conseguiu a formação de um pessoal doméstico que hoje em dia vai desaparecendo, sem que se veja substituído com vantagem.

Sofrem as donas de casa por não ter quem as ajude nessas coisas triviais e indispensáveis: a roupa bem lavada, a comida bem-feita, a casa bem-limpa. Perdeu-se a dignidade do serviço doméstico. Antigamente, uma criada se orgulharia de saber fazer o seu serviço bem-feito. A desvalorização do trabalho manual e, sobretudo, doméstico trouxe para a família brasileira um problema complexo e importante, principalmente porque, enquanto os criados foram perdendo as suas qualidades, as donas de casa não foram ficando – como seria necessário – em condições de corrigi-los e ensiná-los. Não houve entre nós, como há nos Estados Unidos, o ensino das artes domésticas, em instituições especiais, e as donas de casa ou têm repugnância pelo trabalho ou não se encontram suficientemente preparadas para ele.

Se, para a dona de casa que é apenas dona de casa (e há nisso uma grandeza que nem sempre é justamente apreciada), o problema assim se apresenta, que dizer da dona de casa que tem compromissos intelectuais, ou serviços por sua natureza considerados incompatíveis com as funções domésticas?

Grace Moore vem aliviar-nos de uma complicação que, sem a moda, talvez não se pudesse facilmente resolver.

Daqui por diante, as cantoras e as poetisas, as funcionárias, as doutoras e as pintoras devem sentir-se muito honradas se puderem fazer uma sopa ou uma salada, uma omelete ou um bife com o mesmo prazer com que se dedicam às artes, à ciência ou à burocracia.

E, nos tempos que correm, – que prestígio não lhes poderá advir dessas ocupações!

Rio de Janeiro, *A Manhã*, 17 de setembro de 1941

A menina e o papagaio

Moro numa casa que é um fino instrumento acústico. Se eu não me esforçasse por ser um modelo de boa vizinhança, conheceria mesmo os segredos mais sussurrados que, porventura, se cultivassem do outro lado das minhas paredes. Mesmo com toda a minha discrição – e apesar dela – conheço o repertório de piano das meninas, a discoteca do velhote, as preferências dos radiômanos, as árias das criadas e as emoções vocais dos cachorrinhos de luxo.

Não sei se mesmo por boa vizinhança ou por vontade de crer na campanha do silêncio, refugio-me numa varandinha, onde os rumores são apenas inumanos: a sinfonia dos bondes, automóveis, ônibus e motocicletas. Pois nessa varandinha me aconteceu uma coisa extraordinária. Eu estava pensando qualquer coisa, ou não estava talvez pensando nada, quando uma voz cantarina e juvenil se sobrepôs à citada sinfonia. Dizia ela:

> *... primum quoniam indignos adjuvat;*
> *Impune abire deinde quia jam non potest.*
> *Os devoratum...*

Estiquei o pescoço, com assombro. Pois, como tão leve e doce voz poderia estar sentenciando nessa vetusta linguagem?

E vi uma menina de uns quinze anos que andava de um lado para outro, na varanda da casa ao lado, um livro aberto nas mãos, repetindo de olhos fechados o que antes lia duas e três vezes no texto.

A sessão de latim durou uns vinte minutos, durante os quais, uma após outra, ela recapitulou as fábulas dos lobos, raposas, leões, ovelhas e outros bons e maus exemplos da vida clássica.

Depois, veio uma parte de Física. E – tarará, tarará – dizia a menina – "a óptica geométrica divide-se nas seguintes partes: a, b, c, d, e..." E começava a descrever cada uma: "a propagação da luz, ou óptica propriamente dita, tarará, tarará etc." "A reflexão da luz, ou catóptrica, estuda os princípios fundamentais da reflexão, mais isto, mais aquilo etc. e tal, muito bem"; acrescentava: "a refração da luz, [...], estuda as leis experimentais... prismas, lentes, tarará, tarará..."

E foi andando por "cromática", "fotoquímica", "polarização rotativa", "interferência..." – de vez em quando, mordia o lápis, fechava os olhos, tarará, tarará... – e o seu cabelo ondulado se enchia da brisa do mar, e os lacinhos do seu vestido ficavam mais claros ou mais escuros, conforme a claridade do sol.

Era um espetáculo pungente.

Toda a tarde andou a pobre menina naquela dura experiência da sua memória.

Bem que ela, às vezes, olhava um barquinho de vela branca sobre as águas, ou se detinha a ouvir o grito do vendedor de fruta. Mas logo fechava os olhos, e voltava ao seu tarará, com urgência.

Depois, começou a preparar o "estrôncio", pela eletrólise... Continuou com o "carbono tetraédrico", entrou pela "isomeria", com os seus "ortoxilenos, metaxilenos e paraxilenos".

E a brisa no seu cabelo dourado, e o sol nos lacinhos do seu vestido, e o lápis amassado com os dentes, e os olhos fechados, tarará, tarará...

Compreendi que a pobre criança estava preparando provas parciais de curso secundário, e tive uma pena tão profunda que, por mim, reformaria imediatamente o referido ensino, antes mesmo de se reunir o congresso que o Ministério da Educação pretende realizar por estes dias.

O organismo humano tem reações salutares, e aquela menina, no ano que vem, não saberá estas coisas que está repetindo agora. No ano que vem? Não, no mês que vem. Porque não é possível acumular tal nomenclatura, nem tal quantidade de conhecimentos, e a fixação de um texto decorado não serve senão para fantasia de uma prova parcial.

Mas a voz da menina, apressada, fluente, nervosa, ficou em meus ouvidos, preocupando-me. Dias depois, li nos jornais que Walt Disney declarara levar o papagaio como a sua maior surpresa do Brasil.

Então, com desconfiança, pensei: "Isto é troça do americano... Na certa, nas visitas que andou fazendo, topou, como eu, casualmente com alguma criança repetindo de olhos fechados um compêndio de 300 páginas..."

Os americanos são loucos por fazer teses. Na segunda aula de qualquer curso, já estão todos entusiasmados: "sobre que versará a nossa tese?" Mas, fora das teses, o resto é meio balisticamente respondido por risquinhos, cruzes, grifos, desenhos etc. Uma outra espécie de divertimento...

Creio que, entre eles, a palavra é considerada uma coisa demasiadamente importante para se usar com tanta profusão. Têm um estilo lacônico, e consideram a retórica uma batalha de flores.

Possuem a expressão "hum-hum", que serve para tudo: aprovar, desaprovar, perguntar, responder, afirmar, negar, entender, não entender... E estão levando a língua inglesa para uma forma monossilábica, conservando, sempre que podem, apenas a primeira sílaba de qualquer vocábulo.

Ora, Walt Disney, cujo pensamento funciona principalmente com imagens, imagens que têm formas de bichos expressivos, se encontrasse um outro exemplar semelhante à minha vizinha – e eles andam por aí aos milhares, – não poderia deixar de fazer uma associação justa, embora não muito lisonjeira.

Que fazer, senhores? Aceitar a realidade como é, e a fama conforme a merecemos...

Rio de Janeiro, *A Manhã*, 18 de setembro de 1941

Teatro e educação

Não nos referimos ao teatro como fator da formação popular, embora seja isso matéria igualmente importante, e dentro da órbita da educação. Teríamos, então, de tratar do teatro como forma de propaganda e do teatro dirigido, suas relações com o teatro puramente de intenção educativa, e com o teatro puramente teatro, – coisas que deixaremos para outra ocasião.

Também não nos referimos a teatro como veículo de conhecimentos ou de influências morais – teatro já não destinado ao grande público, mas limitado a um auditório de estudantes, um teatro pedagógico, usando da forma dramática como método, e substituindo, de maneira mais viva e perdurável, as aulas ministradas em estilo clássico.

Quereríamos falar do teatro feito não apenas para as crianças, mas também pelas crianças mesmas, com as suas várias capacidades organizadas em torno do objetivo comum da representação.

Não é só depois de velhos, e por amargura ou tédio, que falamos sozinhos. Desde pequenos, em muitas pessoas, se revela essa mania ou aptidão. É que a maioria da gente se esquece da sua própria infância, mercê dos preconceitos dos outros. Quando as crianças estão entretidas, declamando coisas suas, conversando com as múltiplas sombras em que tão facilmente se desdobram, inventando situações, e até se assustando a si mesmas, não deixa de aparecer uma bondosa tia velha, amedrontada com fantasmas, que lhes diga com ar sibilino: "Crianças, não falem sozinhas, que o diabo aparece!" – ou qualquer coisa do mesmo estilo.

Pouco a pouco, a sistemática intervenção dos estranhos na arte imaginativa das crianças vai levando ao seu mundo de perene criação, ao seu mundo de leveza e graça, o peso do raciocínio severo e de crítica restritiva, próprio dos adultos já desencantados.

Não diremos que toda vez que uma criança esteja falando sozinha, uma primorosa peça dramática esteja nascendo. Se assim fosse, já teríamos salvo o teatro nacional – se é que ele anda ou algum dia andou correndo perigo...

Diremos, porém, que a imaginação da criança, conduzida pela vocação habilidosa de um verdadeiro educador, pode permitir a existência de um teatro infantil em moldes especiais, e cujo valor não estará somente no conteúdo da dramatização, mas na própria dramatização, com todos os seus acessórios.

Que fazem as crianças, enquanto são crianças, senão observar a vida de todas as coisas: das plantas, dos bichos, da terra, do céu e dos homens?

Elas vivem, verdadeiramente, num território diferente, de onde não podem sair – diga-se o que se disser porque existem alfândegas terríveis no território vizinho, dos adultos...

Então, as crianças copiam o que veem ao longe, imitam, criticam, – sem falar que, dentro do seu próprio mundo, têm as suas atividades conduzidas de maneira especial, com um outro código, que os adultos não conhecem bem, ou a que não dão importância, pelo qual não têm curiosidade, sendo alguns educadores, alguns poetas e alguns avós.

Uma peça de teatro feita por crianças não tem de ser, obrigatoriamente, entendida pelos adultos. O indispensável é que produza efeito entre as próprias crianças.

Quando, da minha janela, eu vejo os meninos da vizinhança subirem e descerem das árvores, e brandirem ramos de árvore como armas poderosas, e servirem, ao mesmo tempo, de atores e encenadores, representando a sua parte, e ensinando a dos outros: "Deite-se, Carlinhos! Agora, Lauro, morra! Levante o morto, Lino! Ponha um pouco de água na cabeça dele, Mário!" – eu não estou entendendo muito bem o espetáculo, mas os atores estão profundamente interessados. Eles fazem a peça, representam-na, assistem-na, e fazem a crítica. "Ora, não é assim!" – diz um deles, descontente com uma cena. E voltam atrás. E recomeçam, e continuam, incluindo na representação cantigas e danças, festas e mortes, coisas reais e de sonho, o natural e o sobrenatural.

Esse é o teatro a aproveitar em educação. A criação de um cenário, a sua execução (desenho, trabalhos manuais), a indumentária (história, desenhos, trabalhos manuais e de agulha), a composição da peça (redação), – tudo feito em colaboração, de acordo com as aptidões de cada um – eis um plano de trabalho ativo, capaz de oferecer a um grupo de estudantes uma alegria verdadeiramente rica de conhecimentos.

A imaginação e a memória são fortemente estimuladas, mas o sentido crítico também está vigilante, corrigindo os excessos, a cada instante. E isso é um bom exercício do pensamento. Pela sua natureza ativa, uma representação determina esforço físico, na construção e substituição dos cenários, sem falar nas cenas movimentadas, algumas de verdadeira acrobacia, que dão aos atores o domínio do seu corpo, dos seus gestos, de todas as expressões.

A sensibilidade artística se aprimora com a música, a beleza das cores, a harmonia das decorações.

Finalmente, a necessidade de corrigir cada erro de representação, envolvendo não apenas os erros alheios, mas também os próprios, determina uma tentativa de aperfeiçoamento e constitui um exercício moral de modéstia e disciplina, ao mesmo tempo que de tolerância e de perdão.

Rio de Janeiro, *A Manhã*, 19 de setembro de 1941

Espírito universitário[4]

O observador otimista e inexperiente é levado a crer seja a cooperação um sentimento natural do homem. Somos tão pequenos e fracos, a existência é tão curta e precária, que a própria noção da nossa interdependência parece favorecer a inclinação do individual para o coletivo, mesmo quando o mais íntimo impulso não seja de amor, mas, simplesmente, de conveniência, de interesse, de egoísmo.

No entanto, a similitude de todos os códigos morais, de todas as doutrinas, instituições e ritos demonstra que o equilíbrio social dos homens tem sido difícil de obter e manter.

A cooperação é um sentimento que se cultiva. Talvez não precisasse ser cultivado, talvez pudesse ter a forma natural do amor. Talvez, em outras condições. Mas a vida se artificializa tanto, com as invenções dos homens, que não há remédio senão admitir também uma espécie meio artificial de amor. E a isso, mais ou menos, é que se dá o nome de cooperação.

Ora, não estamos num tempo em que os produtos sintéticos até apresentam vantagem sobre os naturais? Não estamos num tempo em que o laboratório faz, desfaz e refaz a criação? Por que estranhar, então, essa virtude nova, flor selecionada da experiência humana, de propriedades possivelmente superiores para afrontar e resistir aos ambientes atuais?

Creio que o sentido de cooperação, tão desenvolvido entre os americanos, é um resultado da extensa vida universitária que se desfruta nos Estados Unidos.

A universidade estabelece compromissos entre os que em redor dela gravitam. Esses compromissos não se referem, apenas, à atividade docente de ministrar um curso, e à discente de obter um diploma. A universidade, no seu largo sentido, é um ambiente onde se recapitulam os conhecimentos do

---

4 Observe-se a visão do futuro, numa crônica de 1941: "Na organização universitária, o caráter pessoal, exclusivista, do professor proprietário de uma cátedra é substituído pelo caráter cooperativista do professor que participa com seus colegas das atividades de um departamento." A ideia, sem dúvida, vem da organização universitária nos Estados Unidos da América. (N. O.)

passado, para atualizá-los, transmiti-los, e conduzi-los para a frente, de modo a assegurar um constante progresso humano.

O conhecimento do passado é uma base informativa de utilidade; mas a pesquisa do futuro é uma necessidade inquietante para os que desejam entregar às gerações seguintes sua contribuição ao melhoramento da humanidade.

"A arte, longa; a vida, breve" – eu ou o sr., sozinhos, nada podemos fazer de verdadeiramente grandioso. Mas se aquilo que o sr. sabe, e aquilo que eu possa vir a aprender, for posto em contato com o que os outros souberam, sabem e saberão, começam a produzir-se reações de um lado e de outro, e então, pode ser que, todos juntos, façamos alguma coisa de valor.

A noção universitária da extensão dos trabalhos humanos é o primeiro passo no caminho da cooperação. Se somos criaturas normais, capazes de realizar alguma coisa, – como permitiremos que a nossa vida seja apenas a fruição de tão vasto e penoso trabalho das gerações que nos precederam, trabalho que não alcançou mais largo significado muitas vezes pela ausência de sentido cooperativista do ambiente contemporâneo?

Logo a universidade nos mostra que mesmo essa tentativa egoísta de fruição se torna impossível, pois cada um de nós é um ser diferente, destinado a uma experiência diversa, e temos que modificar o ensinamento do passado, adaptando-o ao nosso caso, se não quisermos viver anacronicamente...

Reconhecida, porém, a nossa experiência, – como poderemos deixar de relatá-la, de comentá-la, de discuti-la, se lhe verificamos um valor de renovação sobre as experiências anteriores?

Este jogo se realiza no campo da ciência, da arte, da técnica, da moral. Jogo coletivo, movimenta todo o grupo, e seus efeitos são também de natureza coletiva.

Na organização universitária, o caráter pessoal, exclusivista, do professor proprietário de uma cátedra é substituído pelo caráter cooperativista do professor que participa com seus colegas das atividades de um departamento.

As associações médicas, os clubes esportivos, as instituições sociais de qualquer natureza são orientados com a mesma intenção de bem-estar coletivo – e os seminários de estudo permitem confronto de aquisições e planos para trabalhos em comum.

A imprensa universitária mantém em dia todas as experiências, estimula e sugere.

Cada estudante (e o professor é apenas um estudante mais avançado) tem o prazer duplo: da investigação própria e da contribuição dessa investigação na obra comum.

Com esse espírito universitário, com esse sentido de cooperação, ninguém pode imaginar o conhecimento humano como monopólio deste ou daquele; todos cultivam a sua dignidade e respeitam a alheia. No mundo há lugar para todos os homens que queiram trabalhar assim.

Construir uma universidade não é nada. O espírito universitário, esse, sim, é necessário construir, porque só ele é vivo e durável. Ele poderia, mesmo, dispensar a universidade. Mas a universidade, sem ele, é uma vã palavra de gente ociosa.

Rio de Janeiro, *A Manhã*, 20 de setembro de 1941

Ensino rural para adultos

O viajante que percorria os campos da Europa, antes de estarem tão juncados de morte, recebia uma impressão profundamente poética, assistindo o trabalho de homens, mulheres, crianças e animais que, ajudados apenas por alguns instrumentos já velhos e bastante primitivos, se empenhavam em tratar da terra e do gado com o carinho com que tratariam uma pessoa da família.

A poesia vinha da paisagem, do conjunto de cada cena, dos movimentos e das cores – como das associações tradicionais sugeridas: ali se continuava o jogo da natureza e do homem que nos acostumamos a acompanhar desde a pré-história, e que deixou recordações tão vivas em redor do Mediterrâneo.

Talvez, porém, nem sempre estivesse o proveito do trabalho em correspondência adequada com o esforço despendido. Porque o trabalho do campo é de um heroísmo maior que o das guerras; e nunca se viu trabalho que tanto parecesse luta. As estrelas por cima da terra guardam os mistérios das estações; o solo, nos seus abismos, encerra mistérios da química; mil fatalidades andam pelo espaço, ameaçando o lavrador, cuja vida é feita de fios de esperança e de fios de medo.

O viajante que percorre os Estados Unidos sente, ao atravessar seus campos, uma estranha impressão de encantamento e desconforto. O encantamento vem da perfeição do traçado, do alinhamento das plantações, da regularidade do seu porte, da sua cor – da sua extensão. O desconforto vem do isolamento, da solidão desses campos, verdes, ricos e tristes. Nenhum animal. Nenhuma figura humana. Léguas e léguas esplendidamente cultivadas. Nuvens, apenas, navegando por cima. Às vezes, uma sombra de máquina.

Veja-se, porém, o que produz esse campo sem poesia!

Enquanto o camponês europeu quase chorava ao pressentir os frutos numa árvore, tanto estava sua emoção entranhada na própria terra, – o agricultor americano, isento de tais emoções, pode calcular quantos milhões de latas de legumes, cereais ou fruta poderá produzir não apenas este ano, mas também daqui a dez anos – porque, se o seu irmão da Europa contava com a providência, ele conta com o laboratório.

Não estamos fazendo o elogio desse otimismo materialista. Estamos contando coisas.

O lavrador americano, de qualquer categoria, sabe que há uma assistência científica para o seu serviço. As universidades, durante as férias, recebem os interessados que queiram frequentar cursos de extensão sobre assuntos relacionados com o campo; as escolas superiores de agronomia, de cursos especializadíssimos, e destinados verdadeiramente a elites de pesquisadores, dispõem, nessa ocasião, de sua aparelhagem para práticas de divulgação; os cursos são acompanhados de experiências, e dão margem a debates; o cinema e o rádio completam o programa. Os interessados que não podem sair de sua propriedade têm pelo menos o rádio e os jornais agrícolas ao seu alcance. Técnicos visitadores vão a domicílio, realizando uma espécie de ensino ambulante. Isto para os casos menores. Porque os grandes casos têm a seu serviço especialistas que se encarregam da supervisão científica dos trabalhos.

A ciência agrícola americana vai tão adiantada que até se podem obter patos ou galinhas pesando exatamente uma libra, libra e meia, duas libras – conforme interesse a maioria dos compradores... – frutas para uso nacional, frutas para exportação, – vacas que produzem rigorosamente tantos litros de leite por dia, – cavalos que ganhem todas as corridas etc.

O europeu fica boquiaberto vendo e ouvindo tais coisas. Chega a pensar que é um abuso ou um pecado submeter-se dessa maneira a natureza à vontade do homem.

Mas não será preciso, talvez, atingir tais extremos. Se o excesso de mecanização deixa desconsolados os que se acostumaram a sentir o campo de um outro modo – não é verdade que também o rude amanho da terra, em moldes arcaicos, não basta mais ao homem de hoje – mesmo quando seja um autêntico habitante rural?

Sem ir até o limite da agricultura industrializada, não será aumentar o benefício – e, portanto, a alegria, o bem-estar, a saúde – do homem rural, – ensinar-lhe certas práticas mais científicas, orientá-lo no trabalho mais rendoso, apresentar-lhe problemas, para que ele tenha o seu interesse despertado para consultas e experiências, confirmadas depois por resultados animadores?

Não é só o sofrimento que produz poesia. Há uma poesia feita do equilíbrio entre o trabalho e o êxito. Uma poesia natural, que todos os homens devem desfrutar.

Rio de Janeiro, *A Manhã*, 21 de setembro de 1941

Boa vizinhança [I]

Muitas vezes, nos Estados Unidos, nos perguntaram: "Qual será a melhor maneira de realizarmos um verdadeiro intercâmbio latino-americano?" Isso era por ocasião do colapso da França, que tantos acreditavam invencível. Os países sobreviventes compreendiam que o mal das democracias estava na sua falta de cooperação. E os Estados Unidos, onde a cooperação é uma lei a que se obedece inteligente ou mecanicamente, tomavam a chefia do movimento de coordenação latino-americano, a fim de salvar o hemisfério ocidental das consequências do desequilíbrio europeu.

Em situação de tal maneira angustiosa, o programa não podia deixar de ser estabelecido em bases materiais: com quem e com que poderão contar as Américas, em caso de emergência? Essa era a inquietação.

Como, porém, as Américas têm todas essas particularidades que caracterizam, dentro de cada uma, as suas diversas repúblicas, os Estados Unidos, acostumados à sua própria fisionomia, pareciam sentir dificuldades com os primeiros contatos. Firmes, porém, nos seus propósitos, insistiam no plano da boa vizinhança, – e por isso, perguntava-se a todo estrangeiro que aparecia: "Qual o melhor caminho para o intercâmbio latino-americano?"

Em conferências, em palestras, em discursos de fim de banquete, em corredores de universidades, em festas íntimas – a pergunta era a mesma, invariável e absorvente.

Dava-se uma enorme importância aos acordos comerciais, depois de se considerar, com aquela finura estatística da América do Norte, o valor de certos produtos, sua área de produção, possibilidades de exportação etc.

Nós, porém, respondíamos com a boa-fé dos que não entendem de finanças: "O bom caminho é o da cultura; o bom entendimento é o do espírito." Isso, nos Estados Unidos, é uma resposta sensacional. É uma resposta sensacional porque provoca pelo menos duas outras perguntas: "Que é cultura?" e "Que é espírito?".

O simples efeito dessa resposta prova a sua utilidade. Pois se as noções que ela encerra nos são familiares, aos de influência latina, entretanto não acontece com esse povo *sui generis* que é o americano.

Os Estados Unidos têm atacado o problema por todos os lados. Técnicos, industriais, professores, artistas, cientistas, estudantes nos têm vindo visitar, ou têm recebido convites dos Estados Unidos. E, embora refratários aos estudos de línguas estrangeiras, os americanos procuram instruir-se no português, ou, pelo menos, no espanhol, ainda que não seja senão para uma viagem circular de trinta dias.

Ora, é precisamente esse o ponto importante da questão. Sem o conhecimento razoável da língua de um povo, é difícil fazer-se o intercâmbio cultural – enquanto o comercial depende apenas de um tradutor honesto que ajude as partes interessadas.

Manifestar a sua cultura e o seu espírito, ou surpreender a cultura e o espírito alheios são atos que dependem do uso da palavra.

Se a América Latina se sente apta a um melhor conhecimento dos vários povos que a compõem, inclusive o Brasil, não é apenas por identidade de origem peninsular, mas porque essa identidade é acompanhada de idiomas afins.

A boa vizinhança não é um movimento exclusivo dos Estados Unidos com o Brasil, como poderia parecer a alguns, vista daqui. A boa vizinhança [linha interrompida].

Mas agora se instala um curso de português em Montevidéu. E isso nos tem parecido, muitas vezes, mais afastados que a Europa, em suas comunicações, no entanto, valiosas e belas.

Mas agora se instala um curso de português em Montevidéu. E isso nos faz pensar que a boa vizinhança obriga os povos do hemisfério ocidental ao conhecimento de três línguas: o português, o inglês e o espanhol.

Esse conhecimento permitirá veicular-se a literatura, a ciência, as artes, permitirá a compreensão de cada povo, com suas peculiaridades, e permitirá às três Américas a apresentação e discussão de seus problemas, com clareza e sem intermediários.

Desse modo unificadas, as Américas poderão realizar um programa de boa vizinhança dentro da dignidade que corresponde a todas elas, e com a expressão e as modalidades que caracterizam os diferentes representantes de cada uma.

Rio de Janeiro, *A Manhã*, 24 de setembro de 1941

Educação e turismo[5]

O campo da educação é sem limites, pois ilimitadas são as oportunidades de se tentar o melhoramento humano.

O turismo é uma dessas oportunidades. A pessoa que se resolve sair de onde está para ir buscar outros lugares – quando o provérbio sedentário avisa que "boa romaria faz quem em sua casa fica em paz" – vai em busca de alguma coisa diferente, que estimule a sua sensibilidade; que dê novas perspectivas ao seu espírito; que explique, de outra maneira, o mundo e os seus habitantes; – em último caso, se não vai seduzido pelas realizações humanas, irá procurar em formas diversas da própria natureza surpresas que lhe faltam, ou compensações de beleza, de harmonia, de paz.

Por esse motivo, constituem material turístico: de um lado, as realizações e as atividades peculiares de um povo – de outro, as características naturais de um país ou região.

As realizações de interesse turístico são, naturalmente, as que possam ser percebidas com maior facilidade. O turista é um passante; quando o seu interesse o fixa, em meio a uma viagem, sua expressão deixa de ser a de um turista, passando a ser a de um estudioso.

Essas realizações compreendem, pois, os monumentos, as instituições, o urbanismo, a arquitetura, a arte em geral.

As atividades são culturais, industriais, artísticas, folclóricas.

Quanto à natureza, vai da cor de um céu às singularidades de montanhas, plantas, águas, animais...

Embora simples passante, o turista é um forasteiro, uma pessoa diferente dos nativos, mesmo quando estes costumam ser simples passantes, também. A diferença está em que os nativos têm sempre todas aquelas coisas ao seu alcance, e podem instruir-se a seu respeito com maior vagar. A história, a

---

5 Novamente, verifica-se a amplitude do conceito da cronista: "O campo da educação é sem limites, pois ilimitadas são as oportunidades de se tentar o melhoramento humano." (N. O.)

geografia, as tradições podem ser aprendidas hoje ou amanhã, num livro que se lê, numa conferência que se ouve, numa conversa ou num curso.

O turista não dispõe dessas facilidades. O que ele vê, vê, geralmente, pela primeira e quem sabe se única vez. Por isso, quando não é pessoa totalmente distraída ou displicente, procura ansioso o maior número de informações a respeito de cada coisa, para ver compreensivamente, e recordar depois o que viu.

Há uma literatura turística que encerra, em linhas gerais, todos os conhecimentos julgados imprescindíveis a quem viaja. Certas instituições publicam, também, pequenos guias e catálogos, destinados aos seus visitantes. Em muitos casos, postais e álbuns ilustrados são distribuídos ou vendidos como "lembranças" – o que constitui uma das propagandas mais fáceis e eficientes de qualquer país.

Em certos lugares, o cicerone satisfaz a curiosidade do turista com as suas explicações, algumas vezes eruditas. Mas essas explicações não têm a duração informativa do material impresso.

Entre nós, certas instituições e sítios pitorescos precisam ter publicações desse gênero, a fim de facilitar a apreciação dos visitantes que, sem elas, se sentem como desamparados.

Os nossos museus precisam possuir o seu itinerário, o plano de suas salas, e a explicação das vitrinas ou peças de mais importância.

O mesmo se deveria fazer em relação às instituições científicas, religiosas, de assistência social etc.

O Jardim Botânico reclamaria coisa idêntica, por ser dos passeios de maior atração para os estrangeiros, embora nem sempre figure no número das excursões organizadas pelas empresas turísticas.

O Jardim Botânico é o paraíso dos sábios e dos artistas, dos velhos, das senhoras e das crianças. Uns o procuram com intenções de pesquisas; outros, por amor à beleza; os velhos, para contemplarem a eternidade da vida em sucessão; as senhoras, para imaginarem seus jardins e suas decorações florais; as crianças, para se deslumbrarem com esse mundo em que apenas acordam.

Faltam, porém, as explicações para cada caso. Naturalmente, não se vai encher o jardim de mais inscrições. Nem seria conveniente, esteticamente, nem útil, porque obrigaria o visitante a tomar notas, coisa para a qual nem todos vão preparados.

O recurso é a publicação feita sem prolixidade, mas informando com precisão sobre as principais maravilhas da nossa flora, que, desde sempre, tem deslumbrado todos que a contemplam.

O caso do Jardim Botânico é o mesmo dos museus e outras instituições. E esse turismo educativo poderia ser feito em dois ou três idiomas, incluindo o nacional, – pois, com as proporções do Brasil, todos nós somos mais ou menos turistas na nossa terra...

Rio de Janeiro, *A Manhã*, 25 de setembro de 1941

Educação do pedestre

As ruas da cidade amanheceram, há dois ou três dias, amarradas em arames. Mas os cariocas passam por baixo da cerca... E quando são jovens de chapéus de pluma, e têm medo de prejudicar a plumagem, resolvem, muito simplesmente, andar pelo lado de fora, em linha paralela aos arames...

Eu, se fosse a pessoa que mandou estender os fios protetores, ficava, de repente, com mau gênio, contrariando a minha natureza, que é pacífica, e até risonha. Ficava com um tal mau gênio que os meus mais remotos instintos fiscais tomavam proporções gigantescas, e eu começava a lançar multas para a direita e para a esquerda, para os homens e para as mulheres, para os velhos e para as crianças, – multas em vários estilos, conforme a hora, o lugar, o culpado e a culpa. E o erário público iria engordando, engordando; o erário público iria ficando com esse físico respeitável que caracteriza um capitalista cem por cento.

Não sei se há uma estatística sobre a culpabilidade nos desastres de um automóvel; mas, quem nesta cidade tem a obrigação infeliz de dirigir um carro, sabe o importante papel que essa direção lhe acarreta. Pois não é apenas o carro o que o motorista dirige, seja ele profissional ou amador, é a vida dos que estão no carro e a vida dos que andavam do lado de fora. É a vida da mocinha nervosa que resolve atravessar a rua precisamente quando, na sua frente, se acende a luz vermelha; é a vida do menino que lê as aventuras do Girimum, moleque atrevido e intrépido de corpo de borracha, que corre por entre locomotivas, pula de aviões, engole fogo – e o menino não quer ser menos que Girimum, o herói, e desafia os fordes todos da cidade...; é a vida do senhor comodista, que aprecia tanto este jornal, e os nossos colegas, que não interrompe a leitura de uma crônica nem mesmo quando está atravessando a praia de Botafogo às nove da manhã ou às seis da tarde; é a vida da velhota simpática, mas sem óculos, que está acostumada à sua tranquilidade, no jardim ou na varanda, e pensa que a curva da Amendoeira e a avenida Getúlio Vargas são a mesma coisa que uma varanda ou um jardim.

E estes são os tipos pelos quais o motorista ainda sente compreensão e ternura, – acrescentando o provinciano que chega aqui, e se espanta no meio de tanta máquina correndo pra cá e pra lá, e nunca sabe com que pé e em que minuto tem de começar a sua partida do ponto em que se encontra para o ponto a que aspira, sem deixar no caminho um pedaço da sua pessoa.

Mas há os tipos insuportáveis; os tipos que atravessam em qualquer lugar por amor à liberdade: "Quem manda em mim (parecem dizer) sou eu mesmo, não o inspetor de veículos, nem um foco verde ou vermelho!" E o motorista filósofo parece responder: "Mau patrão escolheste, meu caro, não te felicito por semelhante escolha!"

Há os tipos que, decididamente, pensam serem todos que andam de automóvel seus inimigos diretos e figadais. E, a fim de mostrar sua coragem, diante desses imaginários inimigos, covardemente resguardados em carros de luxo ou em autolotações, passam devagarinho, nos lugares proibidos, resmungando mentalmente: "Vê se me esmagas, pusilânime, com o teu tanque!" E o motorista filósofo parece responder: "Passa, meu caro, passa, pois a estupidez humana é uma coisa que só Deus poderia esmagar, por displicência..."

Acontece, porém, que nem sempre tudo isso decorre impunemente. É só abrir os jornais, para ver...

Porque o motorista também pode ser nervoso. Ou isso é apenas direito do pedestre? O motorista também pode ter dessas manias extravagantes: que o meio da rua foi feito para o seu carro, que ali é seu domínio, salvo pequenas interrupções; e que o automóvel é um veículo de grande velocidade destinado a vencer distâncias rapidamente; e que, em todos os lugares da cidade, há doentes, negócios, coisas urgentes, que exigem do automóvel sua liberdade de ação... O motorista pode mesmo ter a mórbida cisma de que o pedestre é seu inimigo, que jurou deixá-lo na cadeia, mesmo com o sacrifício de uma perna...

E agora imaginem os senhores o que não deve resultar desse embate de desconfianças! Uma coisa, em ponto menor, semelhante à guerra europeia.

Mas agora aí estão os arames. Não os arames simbólicos, aqueles que o brasileiro esperançado representa, em linguagem de surdo-mudo, por um movimento imperceptível do indicador e do polegar... Não. Estes são arames de cerca; arames de proteção física.

A cidade produz uma impressão singular, assim revestida. Tem-se a medida da disciplina necessária a esta coisa essencial e elementar, que até o instinto devia controlar: a conservação da vida.

E pensa-se com saudade em outras cidades do mundo onde os arames estão incorporados à educação do povo. Sim, senhores, incorporados. Tanto, que nem é preciso que ninguém os estenda ao longo das ruas. Cada um sabe onde se atravessa e onde não se atravessa, a diferença que há entre a calçada e o meio da rua, e a distância que vai da alta noção de liberdade humana à noção de limitação imposta pelo bem-estar comum, do qual depende o bem--estar individual, tanto quanto da soma do bem-estar individual pode depender o bem-estar comum.

Rio de Janeiro, *A Manhã*, 27 de setembro de 1941

Intercâmbio, folclore, turismo etc.

O Brasil hospeda, há pouco mais de uma semana, um ilustre casal americano: o professor Melville Herskovits e a sra. Frances Herskovits, que vêm realizar entre nós estudos afro-brasileiros.

O ilustre casal exerceu, anteriormente, as suas atividades etnológicas na Guiana Holandesa e no continente africano. Um dos seus valiosos trabalhos é o *Suriname folclore*, onde os costumes, a literatura popular e a música dos negros da Guiana Holandesa se acham inteligentemente estudados.

Percorrendo essa obra, o leitor brasileiro se sente desde logo interessado pelas inúmeras semelhanças entre o ambiente negro daquela Guiana e o do Brasil. Em seguida, a leitura dos contos e provérbios coligidos recorda provérbios e contos que nos são familiares.

Não pode haver leitura mais interessante que a da literatura popular. Num conto, numa fábula, num provérbio, às vezes numa adivinhação reside um mundo de experiência de um povo ou da humanidade.

Como deixar de sorrir, por exemplo, da noção de turismo educativo do narrador ingênuo que transmitiu ao casal Herskovits a história que se poderia chamar em português "O tolo e seus quatro companheiros"?

Era uma vez – diz a história – um rapaz muito tolo. Tão tolo que seus pais acharam melhor mandá-lo viajar, para aprender alguma coisa. E o tolo partiu. Logo adiante encontrou um homem de um pé só, que lhe disse: "eu corro mais que uma flecha." E o rapaz convidou-o para viajar na sua companhia. Continuaram a andar e encontraram outro homem com umas orelhas do tamanho de um guarda-sol. E esse homem explicou ao tolo que com aquelas orelhas podia ouvir tudo que se dizia no mundo. E o tolo convidou-o para seguirem juntos. Foram andando e encontraram mais dois tipos esquisitos. Um tinha uma boca enorme; e, o outro, umas costas imensas.

O tolo foi sempre andando, com seus quatro companheiros. E chegaram a uma terra cujo rei tinha uma filha para casar. Mas essa era uma princesa esportiva, que gostava de corridas, e só consentia em casar-se com alguém que corresse mais do que ela.

O homem de um pé só apostou a corrida, e ganhou-a. Mas a princesa não estava interessada no casamento, e preferiu fazer outro negócio: oferecer ao vencedor o dinheiro que ele quisesse, como indenização do casamento. O tolo (que era uma espécie de empresário) aceitou a proposta, com a condição de que lhe dessem tanto dinheiro quanto pudesse ser carregado pelo camarada das costas fortes. Mas que costas, tinha o nosso amigo! Por mais dinheiro que lhe pusessem em cima, continuava sempre com a mesma capacidade... E o rei perdeu tudo. Até o palácio seria carregado, se ele não pedisse o favor de o pouparem.

Lá se foi o tolo, com sua gente, e aquele carregamento...

Mas o rei, quando os viu longe, começou a achar que aquela história não estava certa... Para que, porém, havia de abrir o bico? O homem da orelha de guarda-sol logo ouviu o que ele dizia, e tratou de avisar os companheiros sobre os planos do rei arrependido.

Os planos eram os mais terríveis. Já todo o exército vinha atrás dele, pronto para a *blitzkrieg*. Mas o camarada da boca larga começou a soprar, e as árvores puseram-se a cair, e os soldados levaram um tal susto que até hoje devem estar correndo para o ponto de partida...

E o tolo, com os companheiros, chegou a sua casa, muito feliz.

A família ficou admirada, vendo-o chegar. Era uma família *sui generis*, que reconhecia ser o rapaz um tolo completo. Vendo-o, porém, regressar tão rico e poderoso, chegou a essa conclusão profundamente importante: que as viagens modificam as pessoas. Conclusão profundamente turística, embora encerrando um preceito malicioso com que os turistas se sentiriam ofendidos: "quando houver um tolo na família, é recomendável mandá-lo viajar, porque volta mudado."

Eu só não estou de acordo com a exclusividade: tolos e sábios aprendem sempre, viajando.

E se o turismo é uma viagem para se aprender, há outras viagens, silenciosas, que são por si mesmas, e pelos seus resultados, um glorioso ensinamento.

Veja-se, por exemplo, esta que realizou o casal Herskovits, e as que antes realizou, por lugares inóspitos, sem atração de cassinos nem de praias elegantes: viagem de trabalho, trabalho de investigação humana destinado a tornar possível a compreensão da vida.

O que hoje vemos da África e da Guiana, recolhido por suas mãos, havemos de ver em breve, de vários pontos do Brasil. E esse será um dos serviços mais úteis do intercâmbio americano, porque se ocupará do negro brasileiro, uma força tão comovedora na história da nossa formação.

Rio de Janeiro, *A Manhã*, 1º de outubro de 1941

A propósito de colônias de férias

A medida do sofrimento humano está entre o que se sonha e o que se realiza. Isso era o que estava pensando, ouvindo falar o professor João de Camargo.

O professor João de Camargo sempre foi um homem de entusiasmo. E esse entusiasmo se dirigiu para os assuntos de educação. Se as palavras o contentassem, creio que ele daria um poeta das crianças como Castro Alves deu um poeta dos escravos.

Mas, embora o seu entusiasmo assuma por vezes formas de lirismo e eloquência, o professor João de Camargo possui também o temperamento de um realizador.

Daí lhe vem o seu mal. Os realizadores, por sua natureza ativa, buscam a realidade das coisas, querem não apenas a estrutura do sonho, mas também a construção da matéria – e já Platão falava dessas diferenças que existem entre a essência dinâmica das ideias e o peso da matéria, estável, difícil, tardia...

Não é, pois, que os tempos sejam árduos; é da natureza das coisas, – embora, decerto, os tempos estejam também muito nublados, e o ouro do espírito não seja ferido pelas luzes que o podiam fazer brilhar.

O certo é que o professor João de Camargo, há muitos anos, teve a lembrança de oferecer aos meninos do Brasil uma oportunidade de fruírem suas férias ao ar livre, num clima agradável e sadio, de modo a que esses meses de descanso escolar fossem aproveitados em total benefício da sua saúde. Não pode haver lembrança mais interessante.

Algum tempo depois, conseguiu aquele professor definir melhor os seus planos, instalando uma colônia de férias na sua Escola Brasileira, situada no conhecido Solar Dom João VI, na romântica ilha de Paquetá.

Nunca tivemos ocasião de visitar a Escola, mas vimos muitas fotografias, – e aquilo parecia um paraíso pequenino, por onde as crianças volteavam um pouco miraculosamente, como anjos ou pássaros.

Nesse tempo, o professor andava feliz. As crianças cantavam, as crianças banhavam-se nas águas mansas, brincando entre as pedras redondas, e entre o mar e o céu, as areias e as árvores, as férias deviam ser como um passeio fantástico pelo reino do sonho.

Depois, o professor João de Camargo foi ampliando suas ideias: aquele paraíso de Paquetá ele desejava ver repetido por todo o Brasil. Muitas colônias de férias deviam nascer, para todas as crianças. Essas colônias deviam ser em lugares diferentes, oferecendo climas vários – de mar, de montanha, de campo... Durante as férias, as crianças estariam adquirindo robustez e alegria, em pleno contato com a natureza. Mas, também, esse tempo seria aproveitado para excursões instrutivas, dentro e fora do país – e, de repente, o professor João de Camargo fica iluminado, e nos fala de "navios transportando crianças" – em estado de profunda poesia, vendo o mundo, através do seu espírito, como uma obra de arte, viva, harmoniosa e perfeita.

Além da Colônia de Férias de Paquetá, existe a de Teresópolis, e o desejo do seu criador, como já dissemos, é ampliar o que existe e criar possibilidades novas, melhores e mais belas.

Tudo isso é admirável. Quem não gostaria de ter seus filhos, durante as férias, num ambiente sadio, sob a vigilância de educadores, desfrutando as virtudes da natureza e, ao mesmo tempo, entregues a atividades encantadoras como a ginástica, a música etc.?

A dificuldade tem de estar na parte econômica. As colônias de férias não podem ser gratuitas. E os pais não podem pagar a estada dos filhos nas colônias de férias.

Muitas coisas igualmente ótimas custam a instalar-se entre nós – não por falta de idealistas que as sonhem, nem de um público que as compreenda e aprecie – mas porque ainda somos um país em formação, que possui todas as coisas que dão dinheiro, inclusive o talento de cada um, mas onde o dinheiro é de uma pudicícia de violeta, e se esconde, se esconde, que nem com a lanterna de Diógenes se pode descobrir onde está.

Muitas pessoas não gostam dos tipos flutocráticos americanos. Mas esses tipos têm uma coisa que os reabilita: um dia, resolvem dar um campo de petróleo para uma universidade, ou não sei quantos bilhões para um serviço de assistência infantil, ou uma instituição científica, ou um hospital... Todos que têm viajado pelos Estados Unidos sabem quanto da grandeza daquele país tem sido realizado pela iniciativa pessoal, pela obra de cooperação, – pois, além das doações fabulosas dos milionários, há um imenso trabalho criado, sustentado, desenvolvido pelo próprio povo, mediante associações, clubes etc.

Mas o Brasil ainda não adquiriu esse sentido de proteção mútua, esse gosto de solidariedade... E o professor João de Camargo está empenhado numa Campanha Nacional pró-Colônia de Férias, exatamente para ver se salva a sua ideia, o seu sonho e as suas realizações das dificuldades naturais em que se encontram.

A propósito disto e de outras coisas, recordamos uma linda casa que existe muito longe daqui, numa cidade da Europa – uma casa cheia de objetos de arte, longamente colecionados por uma rara intuição de artista. À entrada da casa foram inscritas, em louça de azulejo, as sábias palavras, um pouco tristes, mas tão verdadeiras, em cada linha:

> *Chi sa non può*
> *Chi può non fa*
> *Chi fa non sa*
> *E così va il mondo.*

Oxalá venha um tempo de felicidade apagar da terra as amargas inscrições...

Rio de Janeiro, *A Manhã*, 2 de outubro de 1941

Conversa em família

A avenida converteu-se em teatro: a plateia debruça-se no fio de arame das calçadas, os atores atravessam a rua, e os locutores vão compondo em altas vozes a peça – uma peça elementar mas típica, à qual se poderia dar o nome de "O auto da indisciplina".

Os aficionados parece que passam o dia inteiro ali, assistindo; mas o mais apressado e distraído transeunte não deixa de ouvir, todos os dias, e a cada instante, a mesma repetição: "Minha senhora, não atravesse, não puxe a criança, olhe o perigo!" ou "O senhor que está acendendo o seu cigarrinho, não o acenda aí na beira da calçada!" ou "Mocinha de chapéu azul, atravesse de uma vez! Está esperando que o sinal feche?".

É incrível que seja necessário repetir-se minuto a minuto a mesma coisa, e as senhoras continuem a puxar as crianças indefesas entre as rodas dos ônibus, e os cavalheiros fiquem embevecidos com o fósforo na curva das calçadas, e as mocinhas que usam chapéu ainda não saibam qual é o momento justo de atravessar!

No entanto, todos dizem – e concordamos – que somos um povo inteligente, com imenso talento, inúmeras aptidões, múltiplas e formidáveis capacidades. Pois todas essas capacidades, talentos, inteligência e aptidões ainda não nos servem para essa coisa insignificante (e ao mesmo tempo gravíssima) que é atravessar convenientemente uma rua.

Fechemos as portas e as janelas, e digamos a verdade: quando os estrangeiros nos visitam, e elogiam as qualidades inúmeras que possuímos, não deixam de acrescentar em voz baixa, ou de pensar, sem dizer nada: "Que pena não terem mais disciplina!"

Não nos aborreçamos com a observação. Ou seremos desses pusilânimes que não gostam de ouvir a verdade? Ou não será verdade o que observam os nossos visitantes? Se duvidarmos, é só darmos um passeiozinho pela avenida, agora, durante a "semana do trânsito"...

O transeunte palita o dente meia hora contemplando a vitrina de uma sapataria – a repartição está esperando que ele volte do café, o telefone já o procurou três vezes, os papéis vão subindo pela sua mesa. E ele contemplando os sapatos. De repente, dá-lhe uma fúria de velocidade, um zelo funcional, uma paixão burocrática, – e o transeunte desanda numa carreira pelas ruas afora, entrando e saindo por baixo das rodas dos bondes, dos autos, dos ônibus, como se toda a vida tivesse trabalhado em circo...

A mocinha anda a cidade toda procurando uma coisa que não se encontra, uma coisa indispensável à harmonia do mundo: uns sapatos verdes, por exemplo. Gasta uma hora, gasta duas, gasta três. De súbito, vem-lhe a noção fulminante do tempo. Ah! Não pode perder mais um minuto, nem uma fração de minuto! – e para não perder um minuto, arrisca-se a perder a vida...

Tudo isso é puramente indisciplina.

Recordemos todos os fatos domésticos, vulgares, e veremos como a indisciplina é um coeficiente poderoso em nossa vida. Hoje acordamos às 6, e amanhã às 10, porque ontem nós deitamos às 9 e amanhã nos deitaremos de madrugada. Hoje almoçamos ao meio-dia, mas amanhã só às duas horas, porque – os maridos, os filhos... – alguém da família se atrasou no caminho ou na repartição. Atrasou-se no caminho, porque encontrou o amigo vadio, que gosta de sua conversinha, tem boatos e palpites, sabe o tempo que vai fazer, e qual é a verdadeira situação da guerra. Atrasou-se na repartição, porque chegaram visitas justamente à hora da saída para o almoço... – e nós somos tão gentis, que afinal sempre sacrificamos a família...

Como indisciplina gera indisciplina, amanhã a criada não serve o almoço à hora certa, e ninguém tem autoridade moral para a censurar por isso. Por sua vez, como o regime doméstico é assim de tolerância e camaradagens, os fornecedores entregam as compras quando entendem, quando podem, quando lhes dá na veneta – enfim, em último caso: quando a dona da casa o ameaça com a polícia...

Tudo isso causa perturbações de nervos, de saúde, e então chegamos tarde ao serviço, de mau humor, e andamos cheios de raivas secretas, que se transformam em neuroses burocráticas, comerciais, artísticas etc.

O sr. vai comprar uma gravata azul, e o caixeiro lhe estende, com displicência, a caixa das gravatas amarelas. "Não, eu quero uma gravata azul", – diz o sr., se reparar no engano... E ele, como em sonho, lhe murmura: "Ah! Quer azul?..." E vai buscar a caixa das gravatas encarnadas...

Tudo isso é indisciplina. Ausência da noção de responsabilidade. Abandono do equilíbrio, essencial à estrutura humana.

Sem essa disciplina, os nossos talentos não valem nada. Hoje desejamos ser negociantes, e amanhã funcionários; agora queremos realizar alguma coisa e logo mais desejamos, apenas, aparentar que a realizamos; ontem prometemos tudo, e nunca faremos nada; um dia, sonhamos um certo sonho, e no dia imediato já temos um sonho diferente ou contrário...

Podemos abrir as portas e janelas. Isto foi uma conversa em família. Embora as conversas em família quase sempre sejam como as pregações nos desertos...

Rio de Janeiro, *A Manhã*, 3 de outubro de 1941

Atividades culturais

O Serviço de Radiodifusão do Departamento de Educação sempre se caracterizou por um intenso ritmo de trabalho, embora, por várias circunstâncias, não se possa dizer que tenha conseguido sempre um rendimento proporcional aos seus esforços.

Várias iniciativas estão sendo, no momento, tomadas por esse serviço. Uma delas é a organização de uma antologia falada de autores brasileiros; outras, a de um programa de extensão popular de cultura musical; outra, ainda, a de uma tentativa de fixação do nosso folclore infantil, livre de todas as harmonizações cultas.

A antologia falada de autores brasileiros é de particular interesse para quantos, fora do Brasil, se dedicam ao estudo da nossa literatura e da fonética brasileira. Para o espírito americano, por exemplo, ouvir falar a um autor notável é assunto grato e importante. Nessa terra singular, os que fazem obra criadora têm seu lugar no mundo: seja essa obra um invento para vencer a morte, seja um poema para embelezar esta vida... Além disso, os que se dedicam a estudos de línguas, e para quem o português do Brasil é um campo de estudos importantíssimo, encontrarão nessa antologia material curioso para confronto, pela contribuição de autores de diversos estados.

O programa de extensão popular de cultura musical parece-nos de extrema utilidade. Constará de sessões musicais, com programas de discos selecionados e acompanhados de folhetos explicativos da música, do autor e dos executantes. Serão aproveitados alguns cinemas, para essas audições, que se realizarão à hora em que não há espetáculo, nessas casas.

A importância da cultura musical em nossa educação não necessita ser encarecida. Somos um povo essencialmente musical. E para nosso bem, – pois a música pode vir a ser a nossa disciplina, como acontece entre muitos povos, que, por natureza rebeldes e impetuosos, se adoçam e equilibram sob essa terna mas poderosa influência.

Apesar da nossa tendência musical, apesar dos nossos talentos artísticos, em geral, somos um povo ainda confuso, manifestando muitas vezes grande ignorância em coisas que deviam fazer parte da nossa cultura geral. Pessoas de responsabilidade num setor artístico têm por vezes, senão profundo desprezo, pelo menos vasto desconhecimento de todas as outras artes; os pintores não entendem os poetas, os escritores não sabem nada dos músicos, os músicos estão absolutamente fora do alcance de todos os outros seus companheiros de sonho. Isso entre oficiais de ofícios semelhantes... Que dizer do grande público, onde os amadores se agrupam em diversas categorias estanques, e o resto é uma grande onda movida por algumas curiosidades, alguns interesses mundanos, alguns gestos de presumível elegância, algumas influências da moda...?

A divulgação musical bem orientada seria, ao menos, a disciplina no setor mais típico da vida artística nacional. Podia servir de exemplo para a futura organização artística (verdadeiramente artística) de outras atividades – sob uma forma de extensão cultural dedicada ao grande público de todas as idades e em todas as classes sociais.

Finalmente, a fixação do nosso folclore infantil representaria medida de real valor tanto no campo dos estudos etnológicos, como, fora do terreno de estudos sistemáticos, no enriquecimento da tradição nacional – o que vem a ser, em nossa opinião, mais ou menos o mesmo que o conhecimento do homem em todos os tempos e lugares do mundo.

Se é certo que essas coisas do folclore infantil se vão perdendo, e que não é possível paralisar a vida, dando atualidade a coisas que já não se manifestam espontaneamente, – por outro lado, cumpre-nos conservar como recordação sentimental, e ponto de referência, aquilo que foi elemento de nosso enlevo passado, e de nossa formação.

Conseguindo levar essas três iniciativas até o fim, como se propõe, o Serviço de Radiodifusão terá cumprido uma bela parte do seu programa, que é, aliás, vasto, sugestivo e oportuno.

Rio de Janeiro, *A Manhã*, 7 de outubro de 1941

Desenhos de crianças inglesas

Inaugurou-se ontem, no Museu de Belas-Artes, a exposição de desenhos das crianças inglesas. Os trabalhos apresentados acham-se distribuídos pelas idades, o que permite ao espectador acompanhar as possibilidades dos jovens artistas, desde um enternecedor desenho de uma criança de três anos até as composições de adolescentes de dezessete.

Os temas deviam ser todos de alegria, de felicidade, de sonho; mas os tempos são duros e as crianças começam a amadurecer muito depressa. Até os doze anos tudo está tranquilo: é o papai dando de comer aos pássaros; a menina caminhando pelo campo, pelo bosque, pelo infinito; os bebês na creche, ou passeando de carrinho, as árvores expandindo todo o seu verde, os palhaços fazendo irradiar todas as suas cores; as cenas de rua, com vendedores de brinquedos e castanhas, as praias e os jardins, a família reunida na sala, os vasos de flores, os cavalos, o chá, as feiras e os circos. Apenas um menino de nove anos se lembra de desenhar um ataque aéreo, entre tantos motivos serenos, familiares, de cordialidade e paz.

Mas o grupo dos treze anos tem uma inspiração menos sossegada. Algumas paisagens e cenas de rua não são suficientes para contrabalançar a fábrica de aviões, os escombros, o abrigo antiaéreo, o desastre de aviação, – sombrios motivos que reaparecerão mais para diante, com cenas de bombardeio, de incêndio, de guerra no mar e na terra, e um "tédio" desenhado por uma criança de quinze anos – como se em tal idade já se estivesse não entrando, mas saindo da vida, com o cansaço do tempo, pelo desequilíbrio do mundo.

Esta exposição é preciosa, por vários motivos. Por ser de desenhos de crianças. Por ser de crianças inglesas. Por serem maravilhosos desenhos. E por ter merecido a compreensão das autoridades de educação e o interesse dos artistas, que, unidos, desta vez, proclamam o seu comum encantamento, do qual se podem esperar consequências muito proveitosas.

Uma exposição de crianças merece da parte do espectador uma contemplação reverente, quase direi religiosa. É certo que a ingenuidade sincera com que são tratados os motivos, e os próprios motivos em si, produz no espectador uma sensação de delícia, que se traduz em sorriso, – mas sorriso que deve ser de inteligência, de prazer espiritual, de amor e doçura pelo que há de terno, de divinamente novo, e, no entanto, de sempre, nossa mesma ingenuidade, tão sincera e tão simples.

É pena que nem todos sorriam assim, contemplando as duas centenas de quadros expostos. Há pessoas tão imensamente superiores a essa doce pureza que resolvem interpretar inconvenientemente o que contemplam. Isso não teria grande importância, se as coisas se passassem entre adultos, apenas; mas é lamentável que pessoas sérias, de certo, muito respeitáveis, não saibam dirigir a curiosidade, a simpatia dessas crianças que acompanham pelo trabalho dos longínquos meninos, seus contemporâneos do outro lado do mundo. Isso entristece muito: pelo que se perde, de emoção artística, pelo que se deseduca, – e pela falta de elegância de não se contemplar com a devida seriedade uma exposição que, afinal, nesta altura dos tempos, e vinda da Inglaterra, tem um significado especial, seja qual for a mentalidade política de quem a visita.

Qualquer exposição de trabalhos infantis, de qualquer país da Europa, neste instante, devia ser um motivo de reflexão para todos nós. Seria, sempre, uma primavera sobre a morte, um nascimento, em pleno desastre.

O que eu gostaria de ver era o museu cheio de crianças, de crianças ainda não estragadas pelos adultos mais ou menos embrutecidos que tão frequentemente se encontram neste mundo. Gostaria de ver as crianças brasileiras, as crianças de sensibilidade ainda preservada, caminhando por entre aqueles bonecos, aquelas flores, aqueles bichos (há um pássaro mágico, todo coberto de filigrana, um cavalo que voa, um gatinho branco fantástico), e aquelas famílias que tomam chá, que tocam piano, que recebem visitas, que conversam em silêncio...

Oxalá as palestras que se anunciam, durante esta exposição, esclareçam o público, atinjam a sua alma volúvel, distraída, obscurecida, – e façam com que estes desenhos sejam para todos, o que estão sendo para os artistas verdadeiros, e para os verdadeiros educadores – um encantamento completo, uma festa poética, um sonho, e uma purificação no meio dos dias atrozes a que assistimos.

Rio de Janeiro, *A Manhã*, 12 de outubro de 1941

Educação dos artistas

Não dizemos: "educação artística". É "educação dos artistas" o que realmente queremos dizer. E não vai nisso malícia alguma, embora muitos artistas sejam extravagantes; e, segundo ouvi dizer certa vez a uma senhora de espírito, "extravagante" é o adjetivo que empregamos quando nos queremos referir a uma pessoa que, apesar dos seus maus costumes, ainda temos razões para admirar...

O fato é que frequentemente se observa, por parte do artista, uma grande dificuldade ou mesmo incapacidade completa de se adaptar à vida comum, sem que, ao mesmo tempo, a atmosfera puramente artística lhe ofereça, em muitos casos, recursos para a simples subsistência.

Considerando que por educação se entende o processo de permitir ao indivíduo um perfeito equilíbrio com o mundo e consigo mesmo, é claro que deve existir maneira de colocar o artista num ambiente favorável, dando oportunidade de desenvolvimento às suas faculdades criadoras e salvaguardando-o, ao mesmo tempo, dos tristes acasos das contingências materiais. Tudo isto fica mais simples posto assim: "descobrir um modo de deixar que o artista produza arte, garantindo, previamente, a sua existência física, sem o que a própria arte, por grande que seja, pode correr sério perigo."

Talvez o artista não seja uma criatura simples. Mas talvez seja – e as complicações lhe venham, apenas por acréscimo, de tanto se ter dito que o gênio é uma enfermidade; que a arte e a loucura são irmãs ou primas; que um artista para ser artista deveras deve ter um caráter fantástico, boêmio, estranho etc.

Seja pelo real ou pelo artificial dessas afirmativas, os artistas, quando não causam distúrbios maiores, cultivam o desalento e a melancolia – e um artista que goze de boa saúde chega a parecer um burguês, um herético, um filisteu, desde os pálidos tempos do romantismo até agora.

Não será tudo isso derivação do mesmo simples motivo: que o artista, não encontrando fácil terreno para o exercício natural da sua arte, que é, afinal de contas, a sua mais nítida vocação, fica socialmente desequilibrado – e tudo não se reduz, portanto, a um caso de orientação profissional?

Há tempos, o grande romancista americano Sinclair Lewis escreveu uma crônica mais ou menos em redor desse tema. Dizia, então, das dificuldades do escritor para ganhar a vida com o simples manejo da sua pena, e chamava a atenção para as desvantagens de um aproveitamento parcial das qualidades literárias, em assuntos correlatos, mas não especificamente criadores.

Citava o caso frequente, mesmo entre nós, do escritor que se faz crítico literário, ou professor de literatura, ou jornalista, tentando a adaptação de suas qualidades a um meio mais lucrativo, de responsabilidades menos sérias, e de gênero afim.

O grande romancista via nisso uma espécie de falsificação do artista, um meio de empobrecimento criador, um caminho pernicioso, enfim, para a sua personalidade. E apontava uma esplêndida maneira de o salvar de todas essas graves ameaças. Esplêndida talvez não seja a palavra justa; mas, enfim, se o adjetivo não assenta ao processo, vai muito bem com a cabeça que o inventou.

Ora, este era o processo de Sinclair Lewis; o artista deve procurar ganhar a vida mediante o exercício de uma profissão absolutamente diversa de tudo quanto se relaciona com a sua arte. Um dos caminhos bons, apontados pelo romancista, era possuir uma bomba de gasolina (isto era antes das atuais restrições...). O proprietário da bomba sentava-se calmamente (ou não, mas enfim, sentava-se) num desses pavilhões engraçados como os do Rio, que parecem casas de papelão de jogo infantil, e ficava esperando pelos automóveis – feras sedentas.

Ou então – este era outro caminho – instalava uma vendinha, e punha-se a pesar arroz e manteiga, salame e farinha – pensando não no peso, não no dinheiro (tudo isso as suas mãos faziam exata, mas independentemente) – ficava pensando no seu próximo livro, conversando com as personagens, abrindo capítulos, fechando capítulos, imaginando desenhos, capas, tiragens de cem mil, de duzentos mil, de um milhão... – e sorrindo para o freguês, naturalmente, pois esses admiráveis sonhos devem deixar os escritores num estado de bem-aventurada euforia...

Quando eu li esse artigo, fiquei muito contente, pensando que tinha encontrado a receita de felicidade para os artistas. E, ao primeiro que encontrei, cheio de rancores e convencido de perseguições, procurei transmitir a boa nova. Ele, porém, reagiu energicamente, dizendo que o artista é artista, puramente, e que ele preferia morrer de fome, uma vez que ninguém, neste mundo, nem no outro, era capaz de entender uma alma como a sua. Nessas condições, não tenho mais coragem de apresentar a fórmula por via oral. Confesso, mesmo, ter um certo pavor... Mas pode ser que, por via escrita, produza efeito mais positivo. E afinal, nem todos serão artistas tão espantosos como aquele...

Assim, timidamente, mas com boa vontade, aqui a deixo.

Rio de Janeiro, *A Manhã*, 8 de outubro de 1941

Educação dos patrões

Conheço várias residências muito belas e confortáveis, que apresentam sequências de salas povoadas apenas em algumas horas de recepção. Mas se dermos uma volta pelo jardim, e entrarmos pela porta dos fundos, e perguntarmos onde se alojam os empregados, teremos um profundo abalo pelo contraste entre umas e outras dependências.

Por ser pessoa sem desespero, sempre imaginei que isso fosse consequência de antigos hábitos de patrões e empregados, coisas herdadas dos maus tempos do cativeiro, restos de senzala e de casa grande, com a mentalidade dos respectivos habitantes.

Mas, outro dia, fui convidada a visitar um formidável arranha-céu, ainda em construção. O proprietário estava maravilhado com a sua futura morada, e achou muito natural levar-me por entre tijolos e ripas, pulando em tábuas e galgando escadas ainda em esboço, a fim de me oferecer uma antevisão da sua propriedade.

Quando acabamos a escalada, ele me mostrou o panorama esplêndido das suas janelas; descreveu-me o plano da construção, apontando, no piso ainda todo em areias, onde terminava o *living-room*, onde começava a sua biblioteca, onde ficavam os quartos das crianças, a salinha de descanso da esposa, o bar, o estúdio do menino mais velho... – no fim, depois de muitas considerações sobre a posição do elevador, a importância dos tijolos ocos na acústica e na refrigeração, as vantagens de se viver no último andar, o preço das construções, e tudo mais que é assunto palpitante para um proprietário, – convidou-me a descer. Mas, antes da descida, lembrou-se de me mostrar o quarto dos empregados. E isso foi o que me deu uma tal vertigem que, apesar da minha fortaleza, quase caí sem sentidos, daquele nono ou décimo andar.

Porque o quarto de empregados daquele magnífico apartamento era uma coisa ridícula e – desculpe-me o construtor – verdadeiramente vergonhosa. Era um cubículo sem ar e sem luz, com uma janelinha de cárcere e umas dimensões para leito de Procusto (na fase pequena...).

Imaginei os míseros empregados daquela casa mergulhando naquela sombra, depois do trabalho diário, e tendo de repousar naquela estreiteza inconfortável e anti-higiênica.

Ouço dizer que os empregados são umas feras terríveis, que levam para casa metade dos mantimentos, que fazem transações clandestinas com os fornecedores, que se perfumam com as loções das patroas, que às vezes vão dançar com os seus vestidos e os seus balangandãs – e isso me horrorizava profundamente, e, a ser verdade, é mesmo um caso digno de estudo.

Acontece, porém, que também conheço versões sobre as patroas: são, segundo dizem, feras igualmente pavorosas, que exigem um máximo de trabalho com um mínimo de ordenado e comida; que muitas vezes no ano se esquecem do pagamento mensal, que têm noções de horário totalmente diversas das de seus empregados – enfim, acusações mais graves que as que se fazem aos criados, pois o criado, realmente, é pessoa de rudimentar educação, sem nenhuma cultura, muitas vezes iletrado, e de uma classe humilde e sofredora. Os patrões não digo que não sofram, mas quase sempre leem pelo menos os jornais. E os jornais dizem tanta coisa hoje em dia que, à força de os ler, sempre se acaba adquirindo um certo número de conhecimentos que permitem alguma largueza na contemplação da vida.

Será preciso, aliás, ler enciclopédias, para reconhecer que o empregado, de quem tanto se exige, necessita um certo conforto, mesmo para poder bem corresponder a essas exigências?

Suponho que as patroas não gostem, e com toda a razão, de ver suas empregadas malvestidas, pouco limpas, já não digo por simpatia humana, pois quero fazer um quadro bem pessimista: mas por interesse pessoal, para não magoarem seus olhos com feios espetáculos, e não causarem má impressão às suas visitas. Como porém exigir que se apresente com certo cuidado uma pessoa que, após os trabalhos do dia, se encafua num cubículo de seis metros por dois e meio, onde apenas cabe uma caminha estreita, como este que me mostraram, e que imagino seja iluminado na proporção da sua exiguidade por uma lampadazinha da força de uma lamparina de santo?

A pobre criatura terá um outro cubículo para banhar-se, com um chuveirinho problemático, desses que molham, ao mesmo tempo, as quatro paredes, apenas.

Por isso, talvez, é que há empregadas capazes de, na ausência da patroa, se banharem nos seus belos banheiros coloridos, envolvendo-se nos seus roupões, mirando-se nos seus espelhos, e vestindo depois as suas sedas, e calçando as suas lindas sandálias de pluma.

Eu creio que as empregadas precisam de uma educação humana e profissional, como todo o mundo. Mas por que não havemos de exigir o mesmo de todos quantos se candidatam a patrões?

Rio de Janeiro, *A Manhã,* 9 de outubro de 1941

Desenhos infantis

Está marcada para amanhã a exposição dos desenhos das crianças inglesas – comovente exposição neste momento trágico do mundo.

Os que já tiveram ocasião de se pôr em contato com esses trabalhos recolheram uma emoção cheia de encantamento: os pequenos artistas revelam qualidades tais que muitos artistas grandes podem aprender com a lição.

Estão anunciadas várias palestras sobre o desenho infantil, que serão realizadas no recinto da exposição. Isso é uma boa nova que deve convocar professores, pais, pessoas de sensibilidade e de responsabilidade, todos que por este ou por aquele motivo podem influir na obra de educação artística, entre nós. Mesmo aqueles que não se sentem incluídos em nenhuma dessas categorias devem acudir, olhar, ouvir, porque, afinal, tudo quanto se diga, a propósito dessa exposição, tem que ver com a arte, tem que ver com a arte moderna, e, sendo esse um problema tão debatido, e, por vezes, tão mal explicado, merece que o público aproveite todas as oportunidades que se lhe ofereçam de melhor o compreender.

Nenhum pretexto mais interessante para falar de arte que uma boa exposição de desenhos infantis. As crianças, os primitivos e os loucos são os que se acham em melhores condições de dar exemplos de arte verdadeira, porque se movem numa atmosfera sem restrições, onde o impulso criador assume formas de inteira liberdade poética. Nesse mundo singular não se conhece a limitação exterior, a imposição social, o peso da crítica, – porque esse mundo está suspenso em si mesmo, como os países do sonho, com outros firmamentos, outros mares, outros habitantes.

Infelizmente, quando as crianças começam a desenhar com essa independência, construindo com riscos de lápis o panorama de seus descobrimentos, alguém aparece com preocupações da realidade cotidiana, e põe-se a corrigir, a substituir, e – mais do que isso – a fazer voltar os seus olhos desses caminhos fantásticos e maravilhosos para os frios caminhos que a gente comum se convenceu de que são os únicos, os verdadeiros, os convenientes e naturais.

Vão as crianças para a escola carregando o seu mundo delicioso, com gente espantosa, bichos e plantas híbridos, perspectivas raras, e argumentos inéditos e estranhos.

Desgraçadamente, há pessoas que levam tão excessivamente a sério a função de ensinar que se convertem em tiranos cabeçudos, ditadores temíveis, e o que é, realmente, pior – de um mau gosto digno de todos os exílios e fuzilamentos. (Desculpai-me o rasgo belicoso, próprio dos tempos...)

Então, a pobre criança vê esmagados os seus bonecos, a sua flora e a sua fauna; tudo aquilo, segundo os seus opressores, está errado, torto, grande, pequeno, curto etc. E começam a meter-lhe pelos olhos acostumados a outros mundos, a outras cenas, as coisas de inspiração profunda, misteriosa, e sem intenções, – as gravuras vulgares que os adultos fazem com suas mãos movidas por necessidade, muito diversas das que caracterizam a arte pura, a arte sem enredos, sem tempo nem espaço, a arte artística – se assim se pode dizer.

E as crianças vão achando tudo aquilo de tal maneira banal, tão sem as luzes e as sombras dos mundos de seu domínio, que afinal se observa, depois de um certo número de desenhos tolos, a sua submersão numa completa ausência artística.

É quando aparecem as moringas feitas com claro-escuro; as jarras, com sua projeção de cometa caído para o lado: todas essas tristes coisas tão sérias, meu Deus! Tão importantes, tão bobas e tão sem graça...

Mas os pais, os professores e muitas outras pessoas podem sentir-se ufanas com essas medonhas demonstrações. Quanto mais a criança perde as suas naturais qualidades artísticas, mais o seu público a estimula e aplaude.

Por isso, a exposição de desenhos das crianças inglesas é um alívio para os que realmente amam as crianças e a arte.

Por isso, repetimos que todos devem procurar vê-la. Por isso, gostaríamos de pedir que todos que se interessam pelas crianças respeitassem a revelação dos seus desenhos, mesmo quando não os entendessem ou não os soubessem apreciar. O mundo dos adultos é dos adultos. Mas deixai, senhores, que o mundo das crianças seja das crianças!

Rio de Janeiro, *A Manhã*, 10 de outubro de 1941

Escolha da profissão

Por muitas e variadas circunstâncias, o Brasil é um país que abriga inúmeros estrangeiros. Em muitos e variados setores, esses estrangeiros exercem as suas diferentes atividades. No que se refere à técnica profissional, não se pode deixar de verificar uma considerável distância entre a qualidade de trabalho executado pelo estrangeiro e pelo nacional. Não estamos fazendo nenhuma restrição: as leis se encarregam disso. Não podemos, mesmo, deixar de ver que nessa competição há uma boa dose de estímulo. Mas também não podemos deixar de observar que existe uma frequente inferioridade, por parte do brasileiro, e que essa inferioridade depende, acima de tudo, do fator educação.

É certo que nós, filhos de uma terra que nos habituamos a considerar maravilhosamente rica, fomos acostumados, durante um longo passado, a crer em todos os símbolos da bandeira com um fanatismo cego, como se de olhar para o verde a agricultura produzisse, e de olhar para o amarelo as minas se abrissem e se convertessem em fábricas.

Com semelhante boa-fé, ninguém acreditaria ser necessário trabalhar para conseguir o pão cotidiano. Outros povos, com outras bandeiras que, em vez das nossas cores tranquilas, trazem o vermelho das lutas, conhecem melhor o valor do trabalho e a importância de uma disciplina profissional que o assegure.

A disciplina profissional começa com a própria escolha da profissão. Se analisarmos como é feita essa escolha, entre nós, teremos encontrado uma das causas de alguns dos nossos insucessos. Há fáceis enganos por parte dos pais, das crianças e de outros responsáveis, na eleição de uma carreira. Famílias que ainda querem que os meninos de hoje sigam as profissões que foram exercidas por seus antepassados por amor à tradição, crentes na hereditariedade ou simples comodismo; outras, menos conservadoras e mais oportunistas, que desejam ver as crianças orientadas para assuntos que lhes parecem mais rendosos e convenientes, no momento; afinal, as completamente desnorteadas, que "acham bonito" ser isto ou aquilo, que apreciam num ofício o seu lado decorativo, sentimental, raro, – e podem, com essas preocupações, exercer uma influência nociva numa pessoa e na sociedade.

Ora, é no fim do curso primário que em geral se pensa no rumo que vai seguir um estudante. Mas não é suficiente pensar. É necessário decidir. E as decisões não dependem desta ou daquela pessoa: dependem de uma organização. Essa organização parece-nos ser o ensino secundário.

Mas o ensino secundário também não poderá atuar com inteira segurança, por muito aparelhado que esteja, se não tiver estudado o caso da orientação profissional, que, por seu lado, envolve o problema da vocação.

Tudo isso é complexo, não há dúvida. Mas as coisas complexas são as que mais precisam ser examinadas, e, se possível, resolvidas. As outras se resolvem quase por si.

Sabemos que, por indisciplina, muitas pessoas se lançam a esta ou àquela aventura de trabalho: vai nisso um certo gosto romântico, um impulso juvenil de liberdade. Mas, como nem sempre essa aventura corresponde verdadeiramente às melhores possibilidades do indivíduo, e, por outro lado, há sempre a considerar, no trabalho, um lado técnico que depende de aprendizagem, em pouco tempo a pessoa se convence de não estar produzindo o que desejava e, principalmente, de não estar usufruindo a compensação que espera ou julga merecer. Porque, nessa altura, já se encontra com uma outra aventura, que talvez não supunha existir: a aventura da competição.

No exercício de uma profissão, é como na vida, em geral: vence o mais apto. O mais apto não é apenas o que tem melhores sonhos, mas o que foi dotado de melhores conhecimentos, de mais adequada instrução para o seu ofício. Na hora das desilusões, os prejudicados sentem os efeitos de seus erros, e se revoltam contra muitas coisas, menos contra a indevida escolha a que foram levados por sua própria vontade ou por circunstâncias poderosas do ambiente.

O contraste de que falávamos a princípio, entre o profissional estrangeiro e o nacional, pode ser contemplado facilmente em toda a sua realidade. O brasileiro, reconhecendo essa situação, não deve ter um pensamento de vontade contra culpados que não existam: deve, porém, aproveitar com a lição. Deve compreender que um outro rumo na orientação profissional e uma outra qualidade de ensino técnico são condições indispensáveis para se corrigir esse estado de coisas. E isso "para bem de todos e felicidade geral da nação", de acordo com a frase histórica, tão benévola, tão otimista e de um sentido tão largo e tão humano.

Rio de Janeiro, *A Manhã*, 14 de outubro de 1941

Endereço: Inep[6]

Acabo de conversar com o professor Lourenço Filho. O professor Lourenço Filho é um dos meus antigos conhecimentos, e uma das minhas reais admirações. Apenas acontece que as minhas admirações costumam ser coisa terrivelmente cerebral, isto é, sujeita a análise, a raciocínio, a todo esse sistema de pesos e medidas que não deixa de considerar as frações mínimas, quando se trata de chegar à expressão final.

O professor Lourenço Filho não precisa da minha admiração para nada, de modo que eu não precisaria também estar dando aqui todas estas explicações. Dou-as, porém, para justificar aos meus próprios olhos as diferenças de julgamento a que submeto, a sós com a minha cabeça, a figura desse conhecido educador.

Se não fosse o tal sistema de pesos e medidas, eu admiraria sempre o professor Lourenço Filho. E então me converteria em fã da sua pessoa, porque ele é um dos nossos grandes técnicos em educação; porque reúne a experiência de professor à cultura de um erudito na matéria; porque, afinal, possui obras de valor sobre o assunto e, no Instituto Nacional de Estudos Pedagógicos, atualmente sob a sua direção, tem realizado alguns trabalhos que o impõem à consideração geral.

Sucede, porém, que o professor Lourenço Filho, antigo professor, antigo secretário de Educação em São Paulo, antigo diretor do nosso Instituto de Educação, e que com toda essa antiguidade é uma autoridade jovem, uma força viva, um elemento de prestígio em nosso meio, – por uma delicadeza de temperamento, meio sentimental, meio irônico, não nos oferece em toda a sua plenitude o que a opulência dos seus conhecimentos, combinada com a largueza da sua visão, poderia oferecer aos nossos áridos, sôfregos campos educativos, dignos, aliás, da sua generosidade.

---

6   Observe-se o respeito, aliás, devido ao grande teórico da educação nacional, que foi M. B. Lourenço Filho. Mas veja-se também a sutileza com que reclama medidas inadiáveis, sempre no interesse maior da educação brasileira. (N. O.)

Eu sei que não se deve pedir às criaturas senão o que elas nos querem dar. Mas isso são as criaturas comuns. E o professor Lourenço Filho, precisamente, não está nesse número.

O professor Lourenço Filho ama, talvez, a penumbra. Gosta de dissipar-se numa sombra neutra que eu não sei bem se é mesmo modéstia, ou apenas discrição. Mas nós todos nos sentimos prejudicados com essa meia-tinta em que se esconde. E é por esse motivo que eu acima falava das mudanças da minha admiração. Quando contemplo o que o professor Lourenço Filho realiza, fico muito contente; mas quando penso no que poderia realizar, quase passo para as fileiras longas e inúteis dos seus inimigos.

Se os olhos do professor Lourenço Filho pousarem distraidamente nesta coluna, talvez se desgostem com tanta sinceridade. Mas eu, quando penso em ensino primário, em ensino secundário, em ensino profissional, em ensino superior, em jardins de infância, em parques infantis, em educação de anormais, em orientação profissional, em ensino normal, em ensino rural, em problemas periescolares, em tudo quanto de longe ou de perto se relaciona com a educação do Brasil, penso no professor Lourenço Filho, na cultura do professor Lourenço Filho, na sua responsabilidade, no seu prestígio, na sua capacidade de trabalho, nos seus compromissos com o público, e sobretudo nos seus compromissos consigo mesmo. Porque, vamos e venhamos, de que serve saber tanto e tão bem, se, por modéstia, por delicadeza, por discrição, enfim, pelo mais suave sentimento que seja – todo esse tesouro permanece escondido, fora do alcance daqueles que de tal modo o necessitam, que o necessitam de maneira tão vital?

Mas, como estava dizendo no começo, acabo de conversar com o professor Lourenço Filho. E ele me prometeu para breve uma coisa importante, que logo comunicarei a todos os leitores: um estudo sobre a situação do ensino em todo o Brasil, contendo uma estatística que permitirá oportunas considerações.

Com essa promessa, eu já teria grande satisfação, se acaso fosse capaz de me contentar facilmente. Dadas, porém, as exigências a que aludo, quando se trata do professor Lourenço Filho, – tratei de fazer da nossa conversa um meio de adivinhar o possível e o impossível de alcançar todas as distâncias ainda encobertas no futuro da educação nacional. Como lhe atribuo muitas das conquistas e (já o expliquei) muitas das culpas da educação nacional, quis saber do ensino secundário, quis saber da cidade universitária, quis saber mesmo da Conferência Nacional de Educação, que é um dos enigmas cruciantes para um cronista de educação.

O professor Lourenço Filho, com aquela suavidade que todos lhe reconhecemos, não me ofendeu, apesar de tanta impertinência. Apenas, também, não me disse nada muito claro nem muito exato. Não é vergonha nenhuma confessar esse meio fracasso jornalístico, de entrevistar sem grande sucesso, uma vez que se trata de uma entrevista com o professor Lourenço Filho.

Mas foi apenas um meio fracasso. Porque sempre lhe consegui arrancar estar sendo esperada a realização da Conferência de Educação para o corrente mês de outubro.

Todos sabem que essa Conferência, cuja importância está fora de dúvida, foi convocada no começo do ano. Adiada para setembro, sofreu novo adiamento para o começo de outubro, e agora a anunciam para o fim do corrente mês.

Com uma certa incredulidade de cronista educacional, insisti em conhecer a data justa. E ele então me disse textualmente: "O sr. ministro da Educação pensa realizá-la até o fim do mês. É tudo quanto lhe posso adiantar, pois é o que respondo a todos os interventores que me consultam."

Ora, como pode um cronista pretender saber mais que um interventor? Vê-se, pois, que não fui tão mal assim. Não sei nada. Mais do que eu, porém, não há ninguém que saiba!

Rio de Janeiro, *A Manhã*, 15 de outubro de 1941

Resultados das Conferências de Educação[7]

Exultei lendo um telegrama de ontem:

> Salvador, 15 (A. N.) – A bordo do "Araranguá", seguiram para o Rio o sr. Antônio Piton Pinto e a senhora Edite Azevedo, que representarão a Bahia na Conferência Nacional. O sr. César Araújo, diretor do Departamento Estadual de Educação e Saúde, que também tomará parte na delegação baiana àquela Conferência, deverá seguir por via aérea, na próxima semana, com o mesmo destino.

Diante de um telegrama destes, é-se obrigado a crer que a Conferência Nacional de Educação poderá, finalmente, vir a ser incluída no número dos fatos considerados "reais".

As Conferências de Educação têm uma grande importância na vida de um povo – e as suas repercussões podem mesmo alcançar territórios distantes, influindo outros povos com suas inquietações e seus resultados.

Nas Conferências de Educação discutem-se todos os problemas que dificilmente poderiam ser resolvidos sem a colaboração de todos os elementos interessados no assunto. O Brasil, por exemplo, pela sua extensão, pela diversidade de suas regiões, pelas particularidades locais, por muitas coisas, conhecidas de todos, e, portanto, de desnecessária enumeração, apresenta não apenas um problema ou um grupo de problemas educacionais, mas também grupos e grupos diversos, todos eles urgentes, pois o sentido do Estado Novo é o de um Brasil unificado – e como se pode unificar uma nacionalidade a não ser basicamente, isto é, pela educação harmoniosa, proporcionada, coerente, de seus representantes?

---

[7] Esta crônica exemplifica bem o espírito combativo e reflexivo de Cecília Meireles, reclamando sempre soluções adequadas para os problemas da educação no Brasil. A "Conferência", como M. B. Lourenço Filho garantiu, realmente ocorreu. (N. O.)

Minhas impertinências em relação aos problemas de educação devem merecer do leitor uma certa confiança – são impertinências verdadeiramente platônicas. Há um certo número de coisas belas a fazer nesse terreno, e eu gostaria de vê-las feitas, pelo prazer de as comentar e elogiar. Se o leitor se espanta, espante-se, mas abra os olhos e veja: ainda existem criaturas quixotescas, sonhando sonhos para a vida melhor dos outros. Esses outros não sabem de sua existência – estão perdidos na sua liberdade de crianças, sorrindo para todos que veem, confundindo amigos e inimigos, anjos e malfeitores, e caminhando pelas estradas que encontram com uma pureza cega de sonâmbulos.

Desde que me pus a serviço de tais criaturas, das quais nada pretendo nem espero, tenho realizado experiências notáveis, e aprendido mais do que lendo nos livros.

Só as Conferências de Educação me dariam para escrever não um grosso tratado, mas um fino volume de impressões: teses apresentadas, debates, relatórios... As Conferências dessa natureza focalizam todas as necessidades do momento e às vezes de anos e séculos. Mesmo quando não se realiza nada do que as Conferências tratam, é sempre uma oportunidade de aumentar a cultura dos interessados: ouvintes, leitores de jornais, – quem sabe até dos especialistas – uma vez que sempre há maneiras novas de encarar o mesmo assunto, e novos modos de defender a mesma tese?

Os resultados das Conferências de Educação pertencem ao domínio do imprevisto. Comigo aconteceu-me, certa vez, uma coisa curiosa. E embora eu não goste de falar da vida de ninguém, nem mesmo da minha, não posso deixar de sorrir com esta lembrança que agora me ocorreu. E, por espírito de camaradagem, como declaração de princípios, vou contar essa pequena história.

Houve um dia, em qualquer parte do mundo, uma Conferência de Educação, semelhante – semelhante? – a esta que agora tanto espero. E eu, nesse tempo, já era cronista de educação, como agora. (Por onde se vê que não progredi muito...) E fui com o meu papelzinho roto e o meu lápis sem ponta buscar para os leitores daquele tempo a matéria que lhes pudesse interessar sobre tão alcandorado assunto.

Naquele tempo, e naquela região do mundo, havia muita necessidade de se melhorar a educação. Existiam problemas urgentes, imediatos, inadiáveis, a decidir no prazo daqueles poucos dias de reuniões seguidas e conspícuas.

E eu, com o meu quixotesco sonho de consertar o mundo com uma Conferência, tomei o meu lugar num cantinho, abri os olhos e os ouvidos, e preparei-me para participar da salvação humana.

Tive tão pouca sorte, que o orador que se elevou na minha frente, com ares messiânicos e apocalípticos, falou de cachoeiras fazendo cintilar véus de noiva; de soberbas constelações jorrando luzes de todas as cores; de rios cavalgando, espumando ouro e prata; de florestas esmeraldinas oscilando mundos de flores e pássaros...

Eu fui ficando em estado de delírio poético. Tão bonito aquilo tudo... Águas, folhas, música, ritmo, aromas... – tudo que eu adoro neste mundo se erguia luminosamente na minha frente, com a planturosa pompa de uma edificação barroca.

Quando as cachoeiras emudeceram, e as constelações se despediram, e as florestas se tranquilizaram, e os rios voltaram ao curso normal, perguntei aos meus botões: "Mas onde estão as escolinhas que esta Conferência ia construir? E onde está a medicina escolar? E os métodos de leitura? E a arte infantil? E os cursos para anormais? E os planos para débeis? E mais isto e mais aquilo... – tudo quanto estava na minha lista de necessidades imediatas do programa de educação?"

Escrevi então uma notinha inocente – é a minha especialidade – pedindo que esses discursos tão bonitos não perturbassem os outros, menos relampejantes, porém mais úteis. Ia nisso uma grande abnegação da minha parte, pois esses discursos faiscantes me deixam num estado de euforia inenarrável.

Na hora, não me aconteceu nada. Mas, dez anos depois, o orador me deu a entender que guardava da minha pessoa um ódio mortal.

Não aprendi com a lição, – pois não há ódio na terra que faça murchar o entusiasmo de um Quixote.

A Conferência de Educação vai realizar-se, afinal. Pelo mar e pelo ar, os delegados baianos vêm a caminho do Rio.

Já estou aparando o lápis para assistir aos debates. Se tornarem a aparecer as cascatas, as estrelas, os rios, a flora e a fauna que, naquela ignota região do mundo, há muitos anos, me apareceram, – sinto muito, meus senhores, mas escrevo contra.

Rio de Janeiro, *A Manhã*, 17 de outubro de 1941

Educação dos industriais

Baco e Dionísio andam tristes, – sem falar no avôzinho Noé, que esse, coitado, se encontra em completo desespero. E por quê? Por causa das estatísticas publicadas pela Liga Antialcoólica dos Estados Unidos, atribuindo à embriaguez danos materiais no valor de 800 milhões de dólares, só no ano passado?

Não, não é isso, propriamente. Os srs. já devem ter ouvido contar que os povos que se embriagam são os que não fabricam vinhos. Isso é muito natural: os habitantes de países vitícolas conhecem os seus produtos, sabem distingui-los e, portanto, elegê-los. Os povos que não possuem essa indústria acostumam-se, e, por vezes, viciam-se com o artigo importado, nem sempre de primeira ordem, e sofrem as consequências da sua ignorância, que se traduzem por várias formas de perturbação – da simples embriaguez ao envenenamento profundo e à morte.

Baco, Dionísio e Noé andam acabrunhados é com a má qualidade dos vinhos.

Não encontrei os dois primeiros; mas Noé recebeu-me com a paciência de quem viveu nove séculos e meio (se as pretórias bíblicas andam certas). Recebeu-me, e citou-me Platão, Omar Khayyam, Bernardin de St. Pierre e anúncios de revistas argentinas. Sussurrou-me coisas assim: "O vinho é o sangue da terra, o mel das estrelas, o néctar da vida..." Narrou-me sua aventura no monte Arará, quando, depois daqueles dias melancólicos do Dilúvio, teve a sorte de descobrir a bendita vinha que lhe inspirou a primeira cura de resfriamentos por meio do conhaque – embora ele se houvesse enganado um pouco na primeira dose...

Diante de um varão de nove séculos e meio, são como um pero depois de tão sistemáticas libações, ninguém pode duvidar dos ditos cultos e populares que celebram as generosas qualidades do vinho no encanto e no prolongamento da existência humana.

É – disse-me o avôzinho – mas no meu tempo o vinho era uma coisa maravilhosa. Perto dele, o dos gregos e romanos já estava meio desnaturado. Que inspiração, que êxtase produzia o sumo das antigas uvas!

Dizem agora que estão vendendo por aí vinhos de anilina... Isso é verdade? Oh! Sacrilégio! Oh! Profanação! Oh! Crime dos crimes! Malditos sejam os infratores, até a milionésima geração!

Os rumores dos laboratórios tinham chegado até os vetustos ouvidos do patriarca que nos salvou a todos com a sua arca.

Os srs. sabem que esses rumores são muito graves. O Serviço de Enologia do Ministério da Agricultura, na sua preciosa e louvável atividade, está apreendendo vinhos e vinagres nacionais e estrangeiros em que a análise encontrou produtos injuriosos à saúde do povo.

Imaginem os srs. que vinhos famosos, vendidos em casas de responsabilidade, transformavam-se aqui em venenos horríveis, quando já não vinham pelos mares em pleno estado de metamorfose... E nós brindando os nossos aniversários, as nossas formaturas, chegadas de amigos, triunfos literários e científicos com rubis falsos, com falsos topázios – com águas coloridas e aromatizadas, contendo ácidos, mordentes, corrosivos – ofendendo os convivas, ofendendo-nos a nós mesmos, e ofendendo a Baco, Dionísio e Noé, que dos coxins pagãos e bíblicos das nuvens nos miravam com uma profunda pena e aos viticultores e comerciantes com uma severa indignação!

O leitor não sorria tranquilo, pensando: "Isto deve ter sido com os vinhos baratos, esses das casas de pasto, que eu não frequento." Não sorria tranquilo, porque é feio ficar-se despreocupado com o semelhante só porque ele não é nosso comensal ou nosso amigo. Cada estranho é um irmão de destino, que ainda não nos foi apresentado, apenas.

Depois, leitor, o seu vinho, por muitos cinquenta mil-réis que lhe tenha custado – sinto muito dizer-lhe – é quase certo que era tão ruim quanto o das casas de pasto. Um técnico contou-me o resultado das análises. Lembro-me que uma das provas era muito decorativa: mergulhava-se no líquido um fiozinho de lã, e esse fiozinho da verdade voltava todo colorido da anilina falsificadora. Essa anilina, caindo no estômago, tingiria do mesmo modo a pobre mucosa, produzindo irritações, gerando chagas, tumores, coisas perigosas.

E um dos falsificadores dizia, muito ingenuamente: "A cor do meu vinho é tão forte porque as minhas uvas são mesmo muito boas..." (Noé, sobre as nuvens, coçava o queixo barbudo...)

Outro falsificador, muito aborrecido, perguntava, sentindo-se vítima: "Como pode ser falso o meu vinho, se comprei a fórmula a um francês, pela importância de dez contos de réis?"

Como se o vinho fosse feito com fórmulas químicas! – veem os senhores? Como se o vinho não fosse um produto natural, decorrente da pura fermentação da uva, ao qual as leis só permitem certos acréscimos para, em caso de carência, se reconstituírem os caracteres normais do produto. Acréscimo, porém, de substâncias inofensivas, e dosadas pelos laboratórios técnicos.

Baco soltou vários urros, mas foram interpretados como trovoadas pelos míseros habitantes da terra... E Dionísio chorou, chorou um sublime pranto – mas pensávamos que era chuva, e apenas vestimos capas impermeáveis.

O Serviço de Enologia foi a única antena receptora das queixas de Baco, Dionísio e Noé. Os químicos provaram e cheiraram os vinhos, e cuspiram depressa – porque ficaram com medo da prova. Armaram um laboratório ambulante, e saíram pela cidade descobrindo fábricas clandestinas de vinhos e licores espirituosos. As multas descem fulminantes, como maldições divinas.

Não sorria de novo, leitor, com alívio, dizendo: "Graças aos céus que não sou dado a esse prazer das taças!" – Não diga, porque a infelicidade o espera mais adiante: os vinagres também estavam sendo feitos com ácido acético e outros mordentes, como se todos fôssemos tão artistas que andássemos tentando fazer águas-fortes no estômago!

Largamente usado na cozinha brasileira, principalmente na cozinha das classes modestas, o vinagre diariamente ingerido, com tais falsificações, constitui um perigo tremendo para a saúde do povo. E seria recomendável que todos nós abstivéssemos do seu uso, substituindo-o, com vantagem, pelo limão, até que o Serviço de Enologia considere o caso resolvido, e o povo possa ter garantias no seu emprego.

Quanto ao vinho, enquanto não vierem recomendações idênticas, será melhor substituí-lo por laranjadas e outros sumos de frutas, tão recomendados pelos cientistas, na atualidade.

Este artigo leva o título acima porque Baco, Dionísio e Noé acreditam, como eu, que tudo isso acontece porque os industriais não têm a educação técnica que lhes permita medir as consequências da sua fraude, nem a educação humana que impediria qualquer fraude, com técnica ou sem ela.

E, se não pudermos educar os industriais para o povo, eduquemos o povo para se defender das indicações industriais. Em nome de Baco, de Dionísio e de Noé, assim seja!

Rio de Janeiro, *A Manhã*, 18 de outubro de 1941

Variações sobre a educação dos animais

Tenho visto muitos animais amestrados, fazendo coisas de admirar: macacos que comem de garfo e faca, papagaios que cantam árias italianas, pulgas que puxam carrinhos microscópicos...

São coisas maravilhosas, sem dúvida, mas que sempre me deixam uma impressão amarga, como a que me causam as árvores da praça Paris, transformadas em poltronas, em cabeças de cavalo, em elefantes e em outras esculturas menos compreensíveis.

Afinal de contas, um bicho é um bicho, não é gente; e uma árvore é uma árvore, não é mármore nem é barro... Sinceramente, acho um atentado contra umas e outros essa intervenção humana, abusiva e deformadora. Atentado também contra a ingenuidade do povo, pois já ouvi um casal muito simples conversando naquela praça, e a mulher dizia assim: "Que feitios esquisitos, os destas árvores!", e o marido respondia, alisando os bigodes: "Caprichos da natureza..." – e o domingo se desmanchava de espanto sobre a cena...

Tive um vizinho que educava cães. Possuía um chicote formidável, e começava sempre as aulas fazendo-o estalar um certo número de vezes, anunciando aos seus alunos a sua presença e a sua importância. Com esse chicote e uma dúzia de gritos, ele fazia o Jagunço sentar, o Peri ajoelhar, o Corisco voar pelas paredes, o Dunga apertar a mão das visitas.

Explicava para as janelas dos vizinhos que o seu método era assombroso; é possível mesmo que tenha feito grande sucesso, obtido muitos alunos de fora e fundado um ginásio.

Enquanto ele estava ausente, os cães passeavam melancólicos pelo jardim, olhando para o alto, como à espera de alguém que os libertasse. Guardo um profundo remorso de não ter feito nada por eles, nesse sentido.

Aquele sistema de "educação", como dizia o meu vizinho, sempre me fez pensar muito: induções, deduções... Outro dia, lembrei-me dele: um menino brincava com um carrinho, e a sua mãe queria tirar-lhe o brinquedo, para levá-lo a passear. O menino resistia, a moça teimava, ela querendo arrancar o carrinho, ele querendo defendê-lo, força daqui, força dali, declaração de guerra, – e ela, mais forte, prega um beliscão na criança, e o menino, mais fraco, apenas protesta, com o discurso altíssimo das lágrimas.

Essa moça também deve acreditar no seu sistema, pensei. E foi quando me lembrei do antigo vizinho. Uma coisa traz outra, daí a pouco estava com a cabeça latejante de ideias, problemas, soluções etc. Mas agora não vou contar essas coisas.

Voltando à educação dos animais, o melhor dos educadores foi São Francisco de Assis. Esse não usava instrumentos de castigo, nem palavras de violência – ensinava poesia aos passarinhos, e eles abriam as asas, abriam o bico, diziam que sim com a cabeça, e dividiam-se em cruz, partindo para os quatro pontos cardeais.

Quando o lobo andava assolando Agubbio, São Francisco não o prendeu em nenhuma jaula, nem lhe bateu com cacete ou com chicote, nem o matou com nenhum tiro, para, com o seu exemplo, virem a aprender futuros lobos... Não, o santo fez sobre ele o sinal da cruz, que é como quem apela para a luz do espírito sobre a sombra do corpo, e falou-lhe com voz meiga, mostrando-lhe as consequências da sua devastação, e o desamor que inspirava aos homens.

E o lobo inclinou a cabeça, e disse que sim com as orelhas e a cauda. Acabou mesmo firmando o seu tratado de paz, estendendo a pata com toda a doçura na mão luminosa de São Francisco.

O lobo viveu dois anos em Agubbio, entrando e saindo pelas casas, sem fazer mal a ninguém. Quando morreu, todo mundo chorou de pena. Era um lobo completamente domesticado, graças, apenas, a algumas palavras de um varão que nascera com a auréola dupla da santidade e da poesia.

O poeta que fez o belo poema do lobo, dando-lhe um epílogo rebelde e amargo, emprestou ao tema sua incredulidade – deformou a lenda. O lobo de São Francisco não podia deixar de ser convertido, pois o santo era de tal modo humano que, antes de o domesticar, procurou saber as razões da sua crueldade. E como visse que o lobo tinha fome, disse, antes de lhe fazer a proposta de paz: "Prometo dar-te sustento por toda a vida, de modo a que não tenhas mais fome, porque sei muito bem que por fome é que causas tanto mal..."

Tudo quanto se possa concluir das palavras do santo deixo para depois, ouvindo-as, não posso deixar de fazer como outros bichos domesticados: abaixar a cabeça, bater palmas e partir pelo mundo afora, com a alegria do meu coração.

Rio de Janeiro, *A Manhã*, 19 de outubro de 1941

Boa vizinhança [II]

Diz-se que "quem pode o mais pode o menos". Parece e devia ser verdade, mas não é.

Vamos ver o simples exemplo da boa vizinhança. Diariamente abrimos os jornais, e que encontramos? Missões que vêm e vão, para o norte e para o sul, "laços que se apertam", tratados que se firmam, declarações quase de amor, cartas, convites, votos de boas festas, banquetes, flores, traduções etc. Não dizemos que tudo isso não seja belíssimo, admirável, digno de todo o elogio e mesmo de um incentivo cada vez maior.

Isso é a boa vizinhança em ponto grande. Boa vizinhança dos continentes, dos mares, dos céus, como deve ser a boa vizinhança das estrelas – já não falamos dos cometas... – e dos anjos e dos arcanjos e dos serafins.

Façamos, porém, o ascensor descer das esferas superiores, e olhemos pelas calçadas das nossas ruas o cidadão que oprime o seu vizinho com uma frieza criminosa para arranjar um lugarzinho no ônibus! Olhemos o outro cidadão de tal modo apressado com o giro dos seus negócios que não pensa mais do que na sua pessoa: se vai de automóvel, amassa o para-lama do que vai na frente, e, se vai a pé, esmaga todos os nossos calos e deixa toda a sua lama em nossos sapatos!

Não, essa história da boa vizinhança precisa ser começada pelo começo.

Hoje em dia tanto se fala em cooperação com os vizinhos que os mais céticos parece que sentem súbitos impulsos de cooperar. Mas com os vizinhos longínquos. Com os vizinhos que estejam, pelo menos, a umas duas horas de avião ou a uns quinze dias de mar... Porque se o neófito se lança à aventura da cooperação com um vizinho muito próximo, corre o sério perigo de uma declaração de guerra! Desde tempos imemoriais, o uso da verdade traz consequências graves. E a cooperação sem esse uso é requintada hipocrisia disfarçada.

Não falemos, porém, já de temas tão sublimes. Deixemos descansar o espírito com seus problemas, e esqueçamos as coisas intelectuais ou morais, cuja análise, do ponto de vista da boa vizinhança, nos levaria de novo às esferas celestes...

Desçamos qual mísero paraquedista num simples arranha-céu destes em que qualquer desprezível mortal pode deixar existir a sua expressão corpórea.

O arranha-céu é o esquema da boa vizinhança. Todos moram juntos, ninguém causa aborrecimentos, se uma bomba explodir, todos voam para o céu de braço dado, e se houver uma chuva de ouro cada um poderá recolher o seu quinhão, pelas janelas. Falamos do arranha-céu simbólico, evidentemente.

Mas esse esquema da boa vizinhança constantemente desfigura as suas agradáveis linhas.

Os vizinhos todos desejam conservar seus hábitos individuais, vivendo numa habitação coletiva. Nesse ponto começa a transformação. Pois, se o leitor gosta de ouvir papagaios, naturalmente arranja uma casa espaçosa, com um terreninho, e fica dando lições ao louro, de modo a ser ouvido apenas pelo seu aluno, não é verdade? Ah! Meu caro senhor, mas no arranha-céu, todos os vizinhos têm de aprender as lições dos louros e das crianças e dos adultos, a lição de piano e a de saxofone, a de dança e a de canto; – e a participar das festinhas íntimas, com a vozeria dos convidados; – e a conhecer as predileções de cada um, em todos os assuntos, – e muitas outras coisas mais que na grande boa vizinhança constituem matéria vencida.

E este é ainda o lado melhor da vizinhança. Porque os caroços das azeitonas dos coquetéis podem cair com o resto dos charutos, na nossa sala, como caem, inevitavelmente, os palitos e a poeira dos tapetes.

Mas que fazer? – se "quem pode o mais não pode o menos?" – se um cavalheiro pode ir dar uma volta em redor do mundo em trabalho de boa vizinhança e não pode falar ao seu colega de ofício, sem levar quatro pedras na mão?

Rio de Janeiro, *A Manhã*, 20 de outubro de 1941

Embaixada de crianças

Anuncia-se para breve a chegada ao Rio de uma embaixada de crianças argentinas, composta de dez meninos e dez meninas, em visita de cordialidade. A notícia é auspiciosa, e chama a nossa atenção para a influência das crianças nas relações dos povos. Por muito preciosa que seja a influência dos adultos, nesse sentido, nunca poderá ser tão profunda quanto a das crianças, porque os adultos são, desgraçadamente, criaturas de experiências tristes, criaturas amarguradas e desenganadas, e a amargura e o desengano maculam e mutilam as melhores intenções.

Quando ouvimos dizer que um adulto conseguiu realizar prodígios, que todos os dias fez nascer esperanças em redor de si, que exerceu sobre os mais distintos seres uma ação mágica, irresistível e inesquecível, quase sempre ouvimos acrescentar que essa criatura maravilhosa tinha conservado até a morte uma alma de criança.

A criança aparece no mundo como uma promessa de renascimento universal. Os pais mais insensíveis, mais ignorantes de tudo, não podem deixar de sentir um estremecimento com a ideia de se verem reproduzidos num filho. Não é apenas, como alguns deles imaginam, por motivos sentimentais: é por motivos acima do mundo, por essas razões eternas que trazem a primavera aos campos, pela lei da continuação da vida, mais importante e mais remota que a existência da criatura humana.

Podemos ter as nossas antipatias por este ou por aquele povo – e, não obstante, se encontrarmos uma criança deste ou daquele país sozinha, na nossa frente, uma ternura nos envolve, e, pela inocência do filho, somos capazes, senão de perdoar as culpas dos pais, pelo menos de não carregar com elas a criança que encontramos.

Certamente, e para desgraça de todos nós, crianças existem que, desde os mais verdes anos, são instruídas nos preconceitos que caracterizam um lugar ou um momento do mundo. Não é dessas crianças que falamos, quando nos referimos a tanta pureza e a tamanho encanto. Falamos da criança em seu estado natural, com todas as suas possibilidades, mas sem nenhuma das suas fatalidades.

Há pessoas que duvidam possuírem as crianças essas virtudes angélicas que lhes emprestam alguns espíritos mais sentimentais ou mais poéticos, – e são esses os que perguntam com ironia: "Se as crianças são uns seres tão encantadores, como podem ser os homens uns indivíduos tão abomináveis?" Para essa pergunta é que existe a resposta lacônica, e talvez certa: "Questão de educação."

Seja como for, a importância da criança nas boas relações dos povos é de um valor indiscutível, mesmo quando, postas de lado todas as outras causas, apenas se conservasse viva a razão emocional.

Nossa infância é o último esquecimento, derradeiro consolo, e a suprema poesia da nossa existência. Tudo mais pode cobrir-se de sombras, nossa infância terá sempre um sol nítido – mesmo quando não haja sido brilhante nem feliz. Isso porque a criança é uma inventora de eternidade, uma desprezadora do tempo, e sua espontânea sabedoria anula os pormenores efêmeros, e conserva apenas as linhas essenciais da vida. Esse esquema é sempre de uma divina perfeição, independente do nosso julgamento interessado, principalmente do nosso julgamento posterior, já toldado por muitas e diversas considerações.

Os ambientes emocionais da infância estacionam, através de todas as vicissitudes. Como nos surpreendemos, na maturidade, amando com mais carinho aquilo que já tínhamos amado em pequeninos, e que, por muito tempo, pode ter jazido abandonado pela nossa lembrança! É a infância que acorda, e todos os antigos afetos readquirem seu prestígio e sua eficácia.

Quando os adultos visitam um país, vão demasiadamente preparados para essa visita. Sabem demasiadas coisas, boas e más. Estão amarrados a muitas contingências, dominados por muitos interesses, de várias categorias.

Uma criança que chega a um país estranho vai conduzida por sonhos, e em sonho realiza a sua visita, e entre sonhos ouve e contempla todas as pessoas e coisas. O que fica desses sonhos em sua recordação, esse resíduo emocional é que florescerá mais tarde, sob outras formas, quando a criança atingir a forma adulta com as suas responsabilidades.

Assim como o agravo feito a uma criança não é esquecido pela substância sensível do universo, igualmente perdurável é o encanto que a possa atingir.

Que os nossos vizinhos nos mandem vinte crianças, em visita de cordialidade, eis uma poética maneira de entender e realizar a boa vizinhança. Oxalá possamos recebê-las com tão verdadeira poesia, também, que elas nunca mais esqueçam a viagem feita, e incorporem ao seu sonho a imagem do Brasil, como uma durável lembrança de felicidade.

Rio de Janeiro, *A Manhã*, 21 de outubro de 1941

Educação do transeunte

Nos Estados Unidos há cidades lindíssimas, dentro das quais se tem a impressão de estar num imenso e maravilhoso jardim. Naturalmente quase todas elas foram traçadas por grandes urbanistas, pois os americanos, com o seu sentido de especialização, verificaram desde cedo que, assim como o ofício de um alfaiate não é fazer omeletes, e o de um sapateiro não é operar cataratas, o de dispor as ruas e praças de uma cidade, de maneira agradável e conveniente, não devia ser entregue a simples pessoas de boa vontade, ou apenas com a boa vontade de realizar um negócio rendoso.

Muitas das cidades dos Estados Unidos, na zona de habitação, apresentam, para os brasileiros, um aspecto extremamente curioso: é a ausência de muros, grades ou cercas que isolem uma residência da outra. Os jardins vizinhos se comunicam, e as casas parecem apenas distribuídas no meio da verdura e das flores, num ar de camaradagem e de confiança, que alegra e tranquiliza.

É quando nos recordamos dos grossos muros das nossas chácaras e jardins, muros com cacos de vidro por cima, contra os bichos e contra os ladrões; das nossas altas grades, terminando em pontas de lança, e às vezes ainda entrelaçadas de arame farpado; dos nossos vetustos portões que, ao menor abalo, despertavam outrora, e ainda hoje despertam, de longe em longe, uma sineta poética mas suscetível, que longamente se põe a acusar o pequeno agravo; e dos nossos cães ágeis e rancorosos, que saltam sobre os visitantes, que fazem acudir toda a criadagem, os donos da casa, os vizinhos, tudo contra um simples mortal desconhecido – e agridem os transeuntes metendo o focinho por entre as grades, aparecendo no alto dos muros, como se todos fôssemos bandidos da mesma espécie...

O contraste serve para uma reflexão sociológica, pelo menos.

Mas esta crônica não é sobre a educação dos cães nem dos proprietários; é sobre a do transeunte. Porque as belas cidades americanas a que me refiro devem a sua beleza duplamente aos seus habitantes. Na verdade, muitas delas exprimem a atividade do particular, que, ele mesmo, faz um curso de jardinagem, lê revistas, dicionários e livros dessa especialidade, e vai compondo, em redor da sua habitação, planos decorrentes dos seus estudos. Frequentemente essa atividade pertence à dona da casa, que semeia, planta, poda, remexe a terra, limpa-a, rega-a e tem o prazer de apresentar aos seus hóspedes, desde a entrada, uma criação de beleza realizada pelas suas mãos. Esse prazer se estende a todos os passantes que, salvo o caso de insensibilidade incurável, não podem deixar de fruir o espetáculo de trepadeiras e arbustos cobertos de flores em deliciosa combinação de cores, de folhagens, de volumes, de desenhos e de sombras.

Mas todo esse trabalho seria perdido, se os moradores de uma rua ou de uma casa estragassem a obra do vizinho, por inveja, por displicência, por divertimento (o divertimento dos anormais reveste formas muito estranhas...).

Seria perdido esse trabalho se algumas famílias achassem natural que as suas crianças ou os seus bichos fossem brincar, no jardim dos outros, de brincadeiras depredatórias. Mas as crianças americanas aprendem também a gostar das plantas e cuidar dos bichos, e a respeitar o trabalho dos vizinhos.

Assim, conseguem os Estados Unidos oferecer aos seus moradores cidades verdadeiramente maravilhosas, que, sem esse sentimento de cooperação, ou seriam impossíveis ou seriam caríssimas.

Nunca me lembrei tanto do provérbio chinês que Goethe repetiu: "varre a porta da tua casa, e a cidade ficará limpa", como ao passar por esses floridos cenários, todos diversos e todos em harmonia. Aqui era um conjunto de grandes árvores, produzindo um recanto austero; adiante, um raso tabuleiro de florzinhas vivas e brilhantes como esmalte; depois, verdes amarelados franjando de ouro verdes duros e lustrosos, de onde repontavam corolas ardentes; aqui uma sombra deliciosa, com um bebedouro para os pássaros, fazendo cintilar sua mancha d'água na moldura de leves folhas orvalhadas de flores; depois, declives de grama, com leques agudos de agave, com esquisitices botânicas, surpreendentes e encantadoras, como monstros gentis.

Esses jardins não ficam atrás das casas, nem dos lados, não têm nada que os torne inacessíveis ao transeunte. Vêm, ao contrário, até a calçada; as flores estão ao alcance de todas as mãos. Sem falar nos canteiros das praças, que continuam, embora sem os igualar, o encanto dos jardins particulares.

Chegam os pássaros, as borboletas, os raios de sol, os pingos de chuva, a luz das estrelas – e os jardins estão perfeitamente tranquilos. A dona da casa vem cortar as flores, fazer os seus ramos, quando lhe apetece, e uma felicidade vegetal envolve a cidade decorativamente de todas as cores.

Conheço outros lugares em que não se pode ter um vaso de malva à janela. Ou os garotos quebram o vaso, em estudos de tiro ao alvo ou o transeunte leva a malva, para curar sua dor de dente.

Rio de Janeiro, *A Manhã*, 23 de outubro de 1941

Criança

Antigamente, o interesse pela criança era, sobretudo, de caráter sentimental. Ela representava toda a pureza e doçura e esperança da terra. Era um símbolo da renovação do mundo, e pairava, como as entidades superiores, em caminhos só transitados pelos anjos e pelos sonhos.

O valor econômico da criança, tão considerado, mais remotamente, pelas sociedades em formação, desaparecia, encoberto por esses céus de espiritualidade.

Hoje, o interesse pela criança parece envolver, com mais largueza, ambos os critérios. Na verdade, a verificação da sua realidade inalienável como fator econômico não exclui toda a poesia que lhe corresponde, quando contemplada de outros pontos de vista.

Os modernos estudos sobre a criança têm conciliado com profunda naturalidade esses aparentemente distintos conceitos.

Infelizmente, nem tudo o que se tem produzido no terreno desses estudos se acha ao alcance de todos, seja pela natureza especializada do assunto, seja mesmo por uma certa indiferença, um certo descrédito por parte dos que não estão diretamente em contato com ele.

Os professores têm observado que uma parte dos seus esforços no melhoramento educacional se perde por essa ausência de colaboração das famílias, colaboração que pode ir da simples compreensão do trabalho pedagógico e das condições da criança até uma participação ativa, continuando, fora da escola, com a mesma orientação e os mesmos cuidados, o trabalho que, comumente, se enquadra, com seus variados problemas, na moldura da vida escolar.

Na verdade, se refletirmos bem, a educação não é tanto um meio de corrigir a criança, mas de corrigir a família ou o ambiente. Pois, se a criança possui, inicialmente, todas as virtudes que unanimemente se lhe atribuem ou se admitem, de onde se originam tantos erros posteriores, por que motivo a questão educacional se complica de tal modo, com tantos detalhes de difícil solução?

Como e por que adoecem as crianças? De que cuidados higiênicos necessitam? Como devem brincar? Como devem estudar? Que devem ler? Por que mentem? Por que choram?

Essas perguntas envolvem muitas outras, e a todas a educação procura dar a resposta mais adequada. Mas não basta responder. É necessário pôr em prática – e verifica-se muitas vezes ser a escola prejudicada por influências estranhas, capazes, no entanto, de ser evitadas, desde que se conheçam suas origens e seus perigos.

Para estabelecer um contato constante entre professores e famílias muita coisa se tem procurado fazer, mesmo entre nós. Tem se apelado para reuniões, com palestras, exposições de problemas, debates; tem-se tentado a ação do rádio, que leva a domicílio um certo número de conhecimentos, e vence a dificuldade das famílias em comparecer àquelas reuniões; em certos casos, o professor visitador vai a domicílio informar sobre essas coisas necessárias; finalmente, publicações especializadas procuram manter seus leitores em dia com todas essas questões, apresentando casos concretos, sugestões úteis e oportunas para a interpretação dos casos mais frequentes.

Não podem deixar de merecer a atenção das famílias, essas publicações, quando realizadas com o devido critério, isto é, abordando temas de interesse, tratados por especialistas, em linguagem clara, e, fundamentalmente, certos na sua orientação e nas suas conclusões.

São tantos os assuntos que convém esclarecer, junto às famílias, em relação à vida infantil, que uma publicação dessa espécie tem vida assegurada, quanto à abundância de matéria. Por outro lado, são tantas as famílias necessitadas de esclarecimentos dessa natureza que o número de leitores é uma antecipada garantia de sucesso.

Esta crônica me foi sugerida pelo aparecimento da revista *Criança*, destinada às famílias brasileiras, contendo matéria apresentada por professores, pediatras, pensadores nacionais e estrangeiros, sobre múltiplos aspectos da vida infantil. A revista, além de bons artigos, tem uma linda apresentação material, com fotografias e desenhos de bom gosto.

Eu creio que é uma publicação oportuna, digna de ser vista pelos interessados. E é um esforço louvável, no nosso meio. Um esforço que se devia encorajar.

Rio de Janeiro, *A Manhã*, 24 de outubro de 1941

Etiqueta

Um dos livros que mais me interessaram, nas livrarias americanas, foi um grosso volume de 877 páginas, que me custou quatro dólares. Talvez Emily Post, que o escreveu, ficasse contente sabendo que não me canso de mostrá-lo aos meus amigos, embora este seja um livro mais para mostrar aos nossos inimigos...

A primeira edição apareceu em 1922. Até 1927, o livro tinha alcançado dezessete edições. Aumentado em 1927, foi reimpresso vinte e cinco vezes até 1937. Desse ano até agora já foi editado nove vezes, o que perfaz um total de cinquenta e uma edições. Para um livro desta grossura, e sobre este assunto, creio que é um êxito considerável. Chama-se simplesmente *Etiquette*, embora acrescente no subtítulo: *The blue book of social usage*.

Uma das razões por que o livro me interessou foi o contraste entre o seu nome e certos hábitos que tive ocasião de observar na juventude americana. E digo isto sem ofender a boa vizinhança, pois todos os meus amigos, e as pessoas de categoria com que tive ocasião de tratar nos Estados Unidos, padeciam com a mesma espontânea observação.

Embora, felizmente, isso não caracterize de um modo geral esse grande povo, é, na verdade, chocante ver-se o desembaraço com que a rapaziada americana se livra da fatalidade de ter pernas, colocando-as no primeiro lugar que se lhes depara: no banco do vizinho da frente, por cima das mesas, num corrimão de escada, na balaustrada de um jardim ou de um cinema... Às vezes, uma personalidade importante deixa-se fotografar sentada numa janela, com os pés no assento de seda de um sofá... É propaganda – mas que corresponde a certos hábitos bastante divulgados e bastante criticados; por isso mesmo, propaganda de sensação... O gosto de mascar goma, e a sua consequência, que é pregar a goma depois de mascada no objeto mais próximo da mão – certas maneiras de falar e de andar; certas maneiras de comer – que tão bem nos são apresentadas nos filmes de *gangsters* – e quanta influência estão exercendo em nossa mocidade – não são maneiras aprovadas pelo bom senso americano, e muitas vozes clamam contra esse afrouxamento da dignidade pessoal, esse tom de vulgaridade desagradável em que tão facilmente resvalam o sentido democrático do conforto próprio, a noção de liberdade, e talvez a constante prática de esportes e o amor pela vida ao ar livre.

Nenhuma dessas vozes que clamam o faz com tanta persuasão, tanto espírito, tanta elegância como a consagrada autora de *Etiquette*.

Diante do seu livro, lembrei-me que no Brasil também se leram, outrora, códigos dessa espécie. Hoje, devem ser uma raridade, se é que ainda se encontram em alguma biblioteca pública ou particular. De onde viriam? Seriam traduções? Seriam livros europeus? Certamente, não me equivoco: esses livros existiram e foram lidos porque os nossos avós sabiam como cumprimentar, quando sorrir, quando tirar o chapéu, de que maneira sentar-se à mesa, que palavras empregar ou desviar da conversação... Depois, isso foi desaparecendo. Tanto abusaram da etiqueta, que se tornou artificial e ridícula. Para se salvarem, as gerações seguintes, querendo ser naturais e sinceras, evitaram as virtudes de cortesia; abandonaram os hábitos gentis; abriram mão de todas as noções de hierarquia; romperam com as formalidades... Mas de tanto se salvarem, perderam-se completamente. Porque o valor da etiqueta está precisamente em não ser uma fórmula vazia, um adestramento meramente superficial: isso foi a causa da sua decadência, com tanto beija-mão frívolo, tanta amabilidade mentirosa, tanta doçura hipócrita, tanta podridão casquilha e tanta solenidade alvar.

A verdadeira etiqueta, ou seja, a arte das boas maneiras, é uma decorrência natural da boa educação, que, por sua vez, significa o êxito do indivíduo em realizar-se nobremente, e nobremente se pôr em comunicação com os seus semelhantes.

Ao contrário do que a maioria pensa, a etiqueta não complica nada – a etiqueta é, justamente, uma técnica de simplificação. A etiqueta representa a maneira mais inteligente e fácil de realizar todas as coisas, quando se tem em vista ser agradável ou, pelo menos, não causar má impressão.

Ela ensina como fazer uma apresentação entre amigos, entre conhecidos, num ambiente íntimo ou num ambiente formal, como cumprimentar, segundo se trate de uma criança, de um homem, de uma senhora, de gente moça, de gente idosa, na rua, numa festa, em casa; como falar ao telefone, como se apresentar vestido (e, as moças, maquiadas), no trabalho, na rua, numa recepção; como acompanhar uma senhora, como pagar uma despesa, como estar à mesa, num almoço íntimo, num banquete, num restaurante; que comidas escolher ou servir e como encomendá-las; como assistir a um espetáculo; como conduzir um automóvel, como oferecer um lugar a um convidado; como encetar uma conversação; como falar, evitando um tom de voz temível, palavras de mau gosto, expressões equívocas, assuntos descorteses; como pronunciar, sem parecer que se está engolindo ou mastigando ou soprando ou assoviando; como ser elegante sem ser esnobe; como escolher cartões de visita e a maneira de usá-los; como fazer uma visita a amigos, a pessoas altamente colocadas, a enfermos; como fazer aceitar ou esquivar-se a convites; como possuir uma casa interessante; de que maneira equipá-la; como tratar os criados e como fazer-se tratar por eles; como organizar uma festa, uma recepção, um chá; como iniciar uma jovem na vida social; como ensinar aos rapazes e meninas um convívio agradável, gentil e respeitoso; como conduzir os assuntos sentimentais; correspondência, passeios, troca de retratos; como preparar um enxoval etc. etc.

Muita gente sorriria lendo esta crônica, se esta crônica fosse lida por muita gente... Mas se a etiqueta figurasse como matéria de exame, quantos, dos que sorrissem, passariam plenamente aprovados?

Parece tão fácil... Mas é porque cada um, diariamente, cala suas decepções, seus desenganos, suas angústias, pelo que faz ou vê fazer em redor de si...

Na verdade, esse saber calar é já um ponto de etiqueta. Mas poderíamos corrigir esse sofrimento, melhorando-nos e melhorando os outros. O grande livro de Emily Post (grande em todos os sentidos) vale por muitos outros volumes teóricos de educação.

Rio de Janeiro, *A Manhã*, 25 de outubro de 1941

Prelúdio

A Conferência Nacional de Educação, tantas vezes marcada e transferida, parece que, afinal, se acha em vias de instalação. Já se encontram no Rio delegados de quase todos os pontos do Brasil, que virão trazer suas luzes ou escuridões – para que os trabalhos sejam devidamente orientados e resolvidos.

Não se pode descrer do Ministério da Educação porque ele possui um Instituto Nacional de Estudos Pedagógicos, que, dentro de muitas limitações, está produzindo material informativo de importância.

Sem dúvida, esse material informativo contribuirá para esclarecer os próprios delegados à Conferência, muitos dos quais se sentirão surpreendidos com a situação verdadeira dos seus respectivos estados. Não que estejam todos tão mal assim – como o leitor malicioso interpretaria... – mas porque uns estarão melhor do que se pensa, e outros muito pior do que se teria o direito de esperar.

O Instituto Nacional de Estudos Pedagógicos acaba de apresentar três estudos destinados a uma grande influência na reunião anunciada agora – esperemos que pela última vez... – para o começo de novembro. Dois desses trabalhos constituem os seus boletins n°s 12 e 13, e se intitulam, respectivamente, *A administração dos serviços de educação* e a *Situação geral do ensino primário*. Apesar dos títulos singularmente alarmantes, ambos os estudos (e por isso mesmo) merecem ser demoradamente lidos e profundamente meditados pelos cidadãos que ainda creem ser a educação de um povo coisa relevante e respeitável. O terceiro trabalho, que trata da *Despesa dos estados e do Distrito Federal com os serviços de educação*, merece igualmente a atenção tanto dos especialistas, como das pessoas que têm a curiosidade de saber para onde vai o nosso dinheiro. Pelo menos, tem-se um caminho de investigação...

Os trabalhos referidos acabam de sair da tipografia. Ainda estão cheirando a papel novo e tinta fresca. Uma criança, diante deles, pensaria no aroma sugestivo dos brinquedos novos, que a gente logo deseja quebrar, para saber o que trazem dentro... As crianças sempre têm razão; de modo que também essa imagem seria justa. Mas um cronista velho e impertinente fareja os referidos volumes como os ogres, os gigantes de sete léguas, as feras dos contos de fadas costumavam farejar, em busca de vítimas saborosas...

Como deixar de abrir um pouquinho as entranhas da vítima tão próxima e atraente? Vejamos, ao menos, o índice do volume relativo à situação do ensino primário. Passemos os olhos pelos seus promissores capítulos.

Aqui está a notícia do crescimento relativo do ensino nas várias unidades federadas; depois, a informação sobre a disseminação do ensino primário geral, e de acordo com as idades próprias. Logo adiante, saberemos da extensão teórica e real do ensino primário e da sua disseminação nas zonas urbana, distrital e rural; teremos, também, os dados relativos ao contingente de matrícula nas escolas estaduais, municipais e particulares; os números sobre as despesas estaduais e do Distrito Federal, as despesas dos municípios, e, afinal, os aspectos gerais do rendimento do ensino.

Tudo isso aparece, depois, discriminado pelos estados, e com longos e minuciosos quadros que revelam tudo, tudo que se está processando no nosso mundo de educação. Isto é uma publicação raio X, para o diagnóstico que vai ser decidido na próxima conferência, onde o ilustre professor Lourenço Filho funcionará com a responsabilidade de um médico à cabeceira de um enfermo – cuja gravidade só depois se conhecerá.

A imagem pode parecer um pouco arriscada. Mas, apenas passamos os olhos pelos algarismos, e pelas figurinhas do outro volume, essas figurinhas diabólicas, em forma de gomo de laranja e de roda de bicicleta que denunciam coisas terríveis e imponderáveis na cabala estatística... – e aqui estamos padecendo cruelmente, ansiando por acender a luz, enganchar os óculos nas orelhas até o fundo nesta leitura que imaginamos cheia de surpresa.

Só nos resta dizer até amanhã ao leitor. Quando voltarmos, diremos as nossas impressões por este mundo formidável a que nos dirigimos, como se fôssemos entrar num balão estratosférico...

Rio de Janeiro, *A Manhã*, 28 de outubro de 1941

A "fórmula feliz"[8]

À medida que se aproxima a data da inauguração da tão esperada Conferência Nacional de Educação que, após sucessivas transferências, se anuncia para os primeiros dias de novembro, – mais aumenta o interesse do público pensante pelos problemas que ela deve, se não resolver, pelo menos encaminhar.

No entanto, o ambiente de discrição reinante em torno da referida Conferência mal permite ao público saber com alguma clareza que assuntos serão focalizados, e a que finalidade certa ela se propõe.

O mais divulgado, até agora, é que a Conferência Nacional de Educação, presidida pelo sr. ministro da Educação, sob a vice-presidência do ilustre e acatado estatístico dr. Teixeira de Freitas, será secretariada pelo diretor do Instituto Nacional de Estudos Pedagógicos, professor Lourenço Filho, e terá como relator o diretor do Departamento Nacional de Educação.

Nota recente, transmitida aos jornais, informa ainda que a Conferência é apenas uma reunião de secretários de Educação e diretores de Ensino dos estados e chefes de serviço do Ministério da Educação. A mesma nota refere-se ao caráter estritamente privado dessa reunião, que, felizmente, não comportará discursos ociosos, segundo se afirma, tendo um caráter eminentemente prático, e dedicando-se a estudo da organização administrativa, dos serviços de educação, do ensino primário, do ensino profissional, das bases de um programa nacional de educação.

O Instituto Nacional de Estudos Pedagógicos, dirigido por um técnico da competência do professor Lourenço Filho, acaba de publicar dois trabalhos singularmente importantes para orientação desta Conferência. Depois da leitura dessas duas publicações, fica-se sem saber a quem agradecer mais: se ao professor Lourenço Filho, que tão brilhantemente coordenou os dados relativos à situação do Brasil, em matéria de ensino primário e de administração

---

8 Afinal, realizou-se a Conferência Nacional de Educação, tão desejada por Cecília Meireles. (N. O.)

escolar, se ao dr. Teixeira de Freitas, que, com a sua capacidade inestimável de trabalho, sempre aliada a um idealismo incansável, e a uma fé profunda na cooperação, permitiu, pelos dados coligidos no seu serviço de estatística educacional, as considerações e conclusões do diretor do Inep.

Essas considerações e conclusões são difíceis de analisar numa simples crônica, tanto pela sua extensão, como pela sua complexidade. Percorrendo-as, porém, tem-se a impressão de que, malgrado se pudesse pensar o contrário, a situação geral do ensino no país ainda não é animadora. Isto para usarmos uma linguagem extremamente suave.

Em relação à parte administrativa, por exemplo, o professor Lourenço Filho, que, pela sua posição, é a autoridade máxima no momento, – e o verdadeiro responsável pelos trabalhos da Conferência, – afirma haver no Brasil uma grande variedade de sistemas de educação, por onde se subentende que a ideia de coordenar esses sistemas, sob uma influência centralizadora de princípios básicos, deve ser um dos seus objetivos, nesta oportunidade.

> É extremamente grave, porém, a afirmação do ilustre educador ao justificar as causas dessa variedade de sistemas, de que parece resultar vasto prejuízo para o serviço em geral. Assim, diz: Verifica-se, dessa diversidade, que os próprios objetivos sociais das atividades de educação pública não têm estado claros, e que, em consequência, não poderiam lograr mais precisa definição os órgãos e serviços criados para superintendê-las.
> Na publicação referente à *Situação geral do ensino primário,* volta o distinto professor a reafirmar a sua inquietude com estas palavras: A situação (do ensino primário) é agravada pela falta de precisa definição dos objetivos sociais da educação primária, o que tem obstado ao esclarecimento da consciência pública, no sentido dos deveres a cumprir com as novas gerações. E sem essa consciência não será possível poder contar com os sacrifícios que a obtenção dos recursos necessários está a exigir.

Essas duas passagens dos brilhantes prefácios destes dois volumes que parecem destinados a esclarecer os delegados estaduais aqui reunidos definem o sentido que se esperava presidir a esta Conferência, isto é, o da implantação de um plano nacional de educação, sem o qual as próprias palavras do diretor do Inep o estão dizendo: nem se pode esperar maior êxito no ensino primário nem na administração escolar.

A ideia de um plano nacional de educação não é de agora. Todos os educadores devem estar informados que na 4ª Conferência Nacional de Educação, realizada em 1931, foi o próprio presidente Getúlio Vargas quem pediu aos membros da referida Conferência lhe indicassem a "fórmula feliz" de cooperação entre os estados e a União para ser resolvido o problema do ensino primário, assumindo, nessa ocasião, S. Ex.ª, o compromisso de executá-la.

Tentando obedecer ao desejo expresso pelo chefe do governo, a 5ª Conferência de Educação, realizada em Niterói, no ano de 1932, apresentou o esboço de um Plano Nacional de Educação, que deveria servir de base ao capítulo sobre educação, na futura Carta Constitucional.

A Constituinte discutiu o assunto em 1935 e de tudo resultou, no ano seguinte, a aprovação, com algumas modificações, do capítulo sobre "Educação e Cultura", constante daquela Carta. Nesse capítulo ficou expressamente atribuída ao Conselho Nacional de Educação a incumbência de organizar o projeto do Plano Nacional de Educação. Esse trabalho foi realizado em 1937, apresentado ao governo, e por ele remetido ao Congresso, não tendo chegado a ser discutido pela transformação do regime, e a instalação do Estado Novo.

Mas a Constituição de 1937, embora em outros termos, renovou, nos seus diversos dispositivos sobre "Educação e Cultura", a ideia fundamental do plano, principalmente quando declarou a competência da União para traçar as diretrizes da educação nacional.

Em 1938, foi criada a Comissão Nacional de Ensino Primário para preparar os anteprojetos de organização nacional do ensino primário, do ensino pré-primário, do ensino normal e da carreira do magistério primário em todo o país. Esses anteprojetos já estão prontos e, embora preparados isoladamente, representam uma "fórmula quase feliz" para a solução do problema proposto, em 1931, pelo próprio chefe do governo.

Há dez anos, pois, o próprio governo espera a solução de um problema que agora se verifica estar ainda a caminho.

A Conferência marcada para celebrar o décimo primeiro aniversário do Estado Novo está na obrigação de oferecer a "fórmula feliz" de que tanto carecemos. Não se entende que ela se reúna para outra coisa, pois, como se depreende destes prefácios, sem essa definição geral, nada mais pode ser feito, ou, se o for, continuará a ser precário, deficiente e mais ou menos comprometedor, como até agora.

Rio de Janeiro, *A Manhã*, 29 de outubro de 1941

Apelo

Se o sr. tem ainda alguma dúvida sobre a importância e a dificuldade do problema da educação brasileira, aproveite esta oportunidade para se pôr ao corrente da situação. Lembre-se de que do dia 3 ao dia 10 de novembro próximo se realiza uma Conferência Nacional sobre o assunto. Procure conhecer as publicações a respeito, procure assistir aos debates. Acompanhe nos jornais a publicação do noticiário, as reportagens, as entrevistas. Consulte os mapas, e transite pelas estatísticas. Habitue-se ao horror dos tanto por cento, e tente alcançar a sua verdadeira interpretação. Leia, limpe os óculos mil vezes, quebre a cabeça para entender, pergunte ao vizinho, ao companheiro de ônibus, ao colega da repartição. Quando tiver entendido, propague, comente (o mais certo possível, para não atrapalhar mais), medite, esforce-se, cumpra brilhantemente esse sacrifício, que, se não alcançar o céu, depois disso, pelo menos ficará com seu lugarzinho reservado no purgatório.

Não levante os ombros, dizendo: "Não tenho nada com isso, ora essa..." Tem, sim. O sr. ou é pai ou é filho, ou é irmão ou padrinho, o sr. tem alguma coisa com a infância e a mocidade do seu país. O sr. ou é, pelo menos, um cidadão honesto – não me desiluda. E um cidadão honesto tem que passar, neste momento, por essas provas. Tem de acompanhar o andamento desta Conferência de Educação, perguntando, pensando, respondendo, sofrendo, resignando-se, aborrecendo-se. Não, não se aborreça, porque assim atrapalha mais.

O necessário, vê o sr., é não atrapalhar. Porque isto já está atrapalhadíssimo. Creia no que lhe digo, porque, precisamente, não sou eu quem o está dizendo. São os números, são as curvas, as rodelas, os mapas, as colunas pretas, as colunas riscadinhas, o tanto por cento, – conclusões do professor Lourenço Filho, o técnico dos técnicos, no momento, e o homem sobre cujos ombros veio pousar, neste agora, a pavorosa realidade de uma Conferência Nacional de Educação.

Não se assuste com o adjetivo. Um cidadão honesto não tem medo nem das coisas mesmo pavorosas. Um cidadão honesto marcha para a solução dos problemas árduos como, outrora, os príncipes marchavam contra os dragões.

Se o sr. me promete não se assustar, e, apesar da democracia, quiser ser um príncipe valente, vou mostrar-lhe só um leve esboço dos dragões que o esperam. Veja as publicações do Instituto Nacional de Estudos Pedagógicos: são os estados sem dinheiro suficiente para educar sua gente; as regiões sem escolas em lugares de densa população e a escolarizar; as escolas sem professores; as escolas despovoando-se de alunos, que não vão além de dois ou três anos primários, ou porque a escola não serve para eles ou porque eles não podem perder tempo com a escola; são as deficiências de equipamento; são os sistemas confusos, impedindo estudos claros dos próprios interessados; é a ausência de plano geral para dar estrutura a todos esses problemas dúbios, sem equilíbrio e sem orientação. O monstro dos programas está dentro de tudo isso, oculto, mas feroz. E a inteligência infantil e juvenil geme baixinho sob a pata dos monstros. E o Brasil precisa de sua gente, e o estado espera por sua gente, e, por isso, o Ministério da Educação convoca esta Conferência.

Não me diga que em sete dias não se pode resolver tudo isso. Lembre-se de que Deus fez o mundo no mesmo prazo. E somos tantos, agora; somos todos os que desejamos ajudar; somos os que sabem e os que não sabem, mas pretendem aprender; somos os sinceros e os insinceros, os certos e os errados, os simples e os complexos – mas somos tantos! Inscreva-se prudentemente no número. Venha trabalhar também, porque há trabalho para todos. Trabalho, principalmente, é o que não falta. E sofrimento, e perturbação de espírito, e angústia vastíssima. Não é, porém, o sr. um cidadão honesto, que está construindo alguma coisa neste momento de destruições? Leia, pelo menos, os jornais. É uma contribuição mínima, e, no entanto, preciosa.

Rio de Janeiro, *A Manhã*, 30 de outubro de 1941

Bônus

O problema da evasão escolar está alarmando todos os educadores que se puseram em contato com as cifras astronômicas das estatísticas tão honestamente realizadas, sempre, por esse modelo de idealismo que é o dr. Teixeira de Freitas.

Entende-se por evasão escolar a frequência irregular da criança à escola, seja por faltas constantes, seja por abandono do curso, antes da sua terminação.

Sabe-se que, em cinco anos de curso, a criança geralmente não vai além do terceiro ano: por isto ou por aquilo, a família contenta-se com um programa de alfabetização. Desde que a criança entende um pouco de letras e números, modestamente se desinteressa pelo resto. A "consciência de educação", a que se refere o dr. Tude de Souza, não está suficientemente generalizada. O perigoso alfabeto se insinua pelas selvas e sertões, comprometendo a marcha para o oeste.

Foi pensando remediar essa situação no seu estado que o padre Bruno Teixeira, conforme disse ontem este jornal, imaginou um sistema de distribuição de bônus, com os quais seriam premiadas as crianças mais assíduas. Esses bônus, convertidos em dinheiro, permitiriam a aquisição de pequenas coisas úteis, e assegurariam a presença constante da criança na escola, e, quem sabe, a sua permanência até o fim do curso.

A lembrança do padre Teixeira não pode ser mais bem intencionada. Apenas, ela me faz pensar em certa moda que houve por aqui, há alguns anos, quando se fazia distribuição de bônus semelhantes em caixinhas de balas e cigarros. O fim visado devia ser, naturalmente, a venda intensiva dos cigarros e balas, como, no caso educacional, o fim visado é o aproveitamento da escola. Acontece, porém, que, depois de algum tempo, a noção importante que se fixara, entre nós, não era sequer a das balas ou a dos cigarros, mas a dos bônus, somente, dos bônus por toda parte, a toda hora, de qualquer maneira. Foi um inferno – desculpe-me o padre Teixeira. As crianças caíam em cima dos parentes, dos vizinhos, dos conhecidos, dos desconhecidos, e queriam caixas de cigarros e de balas – por causa dos bônus, para juntar bônus, para fazer coleções completas de bônus, com a remota esperança de um concurso que transformaria todos aqueles papéis coloridos em bonecas, automóveis, bicicletas, suspensórios etc.

Um dia cheguei a assistir esta cena curiosa: numa casa de roupas feitas, uma família comprava ternos para o garoto. E ele, em lugar de mirar a roupa nova, mirava a etiqueta de preço que estava cosida na beira da calça. Mirou-a, mirou-a, – por fim, não resistiu, e deflagrou a pergunta: "Quanto vale o cupom que está pregado ali?" Esse pobre menino devia sonhar de dia e de noite com os bônus das caixinhas que davam direito aos famosos sorteios; – e até nas etiquetas de preço via semelhanças, possibilidades, esperanças, ambições de bônus.

Receio muito que os bônus escolares possam produzir o mesmo efeito. Depois de algum tempo, os meninos dirão entre si: "Não, amanhã faço gazeta, pois já tenho vinte bônus, e posso comprar um bodoque." E o outro, respondendo: "Que maçada, eu ainda tenho de ir a semana toda, porque estou juntando bônus para comprar uma bola-pneu." E a professora, coitada, ralando a sua paciência para meter na cabeça dos meninos que estão pensando no bodoque e na bola a sua convicção de que dois e dois são quatro.

Muitos educadores descreem do prêmio, como bom fator educacional, tanto quanto descreem do castigo. Premiar uma criança é sempre despremiar outra. Há muitas sutilezas psicológicas nessas coisas. Mas há meios de resolver o problema da evasão, sem bônus. Disto trataremos no próximo número, como se dizia, outrora, no bom tempo dos folhetins.

Rio de Janeiro, *A Manhã*, 2 de novembro de 1941

Da evasão escolar[9]

As causas da evasão escolar poderiam ser, à primeira vista, atribuídas à criança – o que leva as pessoas bem-intencionadas a tentar exercer sobre ela várias influências e atrações, para que frequente as aulas. No entanto, a criança é a única irresponsável. Vejamos as razões da sua ausência.

Uma criança que falta à escola ou não pode ou não gosta de ir.

Quando uma criança "não pode" ir à escola, é sempre por motivos alheios à sua vontade. Talvez esteja doente. Talvez não disponha de roupa nem calçado para se apresentar – e algumas escolas exigem o uniforme, outras, pelo menos, um vestuário completo. Talvez esteja auxiliando os pais em tarefas caseiras ou trabalhos do campo. De qualquer maneira, são os interesses da família ou as consequências do meio e da situação econômica os responsáveis pela sua frequência.

Se uma criança "não gosta" de ir à escola, então é preciso saber as razões do seu constrangimento. Podem ser razões pessoais: pobreza, doença, atraso, inferioridade de qualquer natureza; podem decorrer da escola mesma, e dos seus métodos e das suas exigências; da natureza dos estudos; da personalidade da professora, que não sabe inspirar simpatia nem interesse; do comportamento das outras crianças – desigualdades sociais, injustiças etc.

Conhecidas as causas, poderia parecer fácil o remédio. Será? Como se vai de uma hora para outra deixar em boas condições de saúde todas as crianças do Brasil? Ainda há pouco, dizia o dr. Alcides Lintz, chefe do Centro Médico Pedagógico, que o número de glóbulos vermelhos cria diferenças importantes na capacidade do estudante. Nós todos contemplávamos seus gabinetes magníficos, onde uma obra notável se está verificando, mas sabíamos que apenas uma parte das crianças do Distrito Federal pode ser, por enquanto, atendida nesse esplêndido serviço... Por outro lado, educadores dos estados

---

9   Deve ser meditado, ainda hoje, o que Cecília Meireles escreveu aqui sobre as causas da evasão escolar. (N. O.)

ouviam falar em 500 contos para aqui e 500 contos para ali... – e pensavam nas suas verbas de educação...

Poderão ser vestidas instantaneamente todas as crianças do Brasil que não vão à escola por falta de roupa? E poderão ser bem nutridas? E poderão sair de casa sem que os pais sintam falta delas para essas mil pequenas coisas de todos os dias: dar a mamadeira ao irmãozinho, lavar a roupa miúda, fazer compras, levar a comida ao pai, apanhar lenha, – e outras, que dependem de ocasiões especiais?

E poderemos, de repente, corrigir todos os erros da escola, e tornar perfeitas todas as professoras?

E como tornaremos perfeitas as professoras que ganham apenas cento e poucos mil-réis, e têm, portanto, o espírito cheio de problemas, e estão irritadas, nervosas, cansadas, indispostas, precisando também, como os seus alunos, de comida, roupa, saúde, em primeiro lugar? Depois, de vocação, sentimentos humanos profundos e sinceros, gosto pela profissão, desejo de aperfeiçoamento; em seguida, de condições para se realizarem: cursos bem-feitos, possibilidades de ver e entender a vida, por meio de leituras, viagens, troca de ideias, e sentido e capacidade de cooperação?

A criança que "não pode" ir à escola me entristece, porque está lutando com fatalidades que se interpõem ao seu desejo de aprender, de melhorar.

Mas a criança que "não gosta" de ir à escola me causa uma alegria muito difícil de explicar sem mal-entendidos. Ela se defende, como o adulto que não visita as pessoas aborrecidas, que não vai tomar fresco nos jardins que têm mosquitos, que, enfim, pratica todas as prudências sugeridas pelo velho ditado: "Gato escaldado de água fria tem medo."

A criança tem o dom maravilhoso da autodefesa ainda não estragado pelas convenções sociais, por noções maliciosas ou interesseiras, tão familiares aos adultos em geral. E as suas reações costumam ser o diagnóstico preciso da crise que enfrentam.

Entre a criança que faz gazeta, porque a escola lhe parece abominável, e a que se submete a frequentá-la, passivamente, bobamente, eu prefiro a primeira. É a que revela mais sensibilidade, mais vida, mais inteligência. É a mais aproveitável. Acho que devia ganhar prêmios. Prêmios de escolas adequadas, de professores adequados. De educação adequada.

Rio de Janeiro, *A Manhã*, 4 de novembro de 1941

Bases mais concretas

A sessão de ontem da Conferência Nacional de Educação começou pela leitura, feita pelo seu presidente, de sete questões relativas ao ensino primário, que deviam ser postas em discussão. Essas questões baseiam-se nos seguintes pontos: administração do ensino primário, custeio do ensino primário, estrutura do curso primário, obrigatoriedade escolar, ensino primário urbano e rural, o ano escolar, o magistério.

Embora o ambiente não parecesse muito orientado, algumas considerações se fizeram ouvir preferentemente sobre a questão da extinção do ensino municipal.

Essas considerações visavam esclarecer o assunto, indagando se a extinção devia ser imediata e radical, ou por etapas, mais paulatinamente.

Como um dos delegados houvesse já mostrado que a súbita extinção do ensino municipal determinaria o fechamento de grande número de escolas, deixando sem instrução um grande número de crianças, – outro delegado apoiou a ideia da extinção lenta, declarando que esse ensino acusado de precário, com ausência de técnica e falta de professores, devia desaparecer gradualmente, cabendo ao estado estabelecer o prazo conveniente para isso. E mostrou que problemas envolveriam a sua extinção brusca, não só em relação às crianças, como também aos professores, cuja exoneração suscitaria problemas sociais, além de gozarem os mesmos de certas garantias, nos seus cargos.

Entre medidas de proteção e condenação do ensino municipal foi caminhando a sessão, até ser consultado pela mesa o dr. Teixeira de Freitas, que, às suas notáveis qualidades de estatístico, alia uma sinceridade verdadeiramente inestimável no trato dos problemas de educação.

O dr. Teixeira de Freitas teve um dos seus momentos mais felizes, ao tomar a palavra, tanto pela clareza com que expôs o assunto como pela emoção que conseguiu despertar em todo o auditório, que o aplaudiu de maneira entusiástica.

Em suma, disse o dr. Teixeira de Freitas que a situação era de perplexidade, porque, se de um lado o ensino municipal se revela precário, por outro, o espírito do regime assegura aos municípios o direito de manter os serviços de educação. Assim o que havia a fazer era unificar o aparelhamento público, de modo a resolver a dificuldade. Se o regime admite três entidades, três ordens políticas, o município, o estado e a Federação, é evidente que não se pode desobedecer a esse critério. "É preciso valorizar o regime", dizia o dr. Teixeira de Freitas, "e essa valorização tem de ter uma sólida base, para ser verdadeiramente nacional".

Sua definição da posição dos delegados estaduais em relação ao estado, nesta Conferência de Educação, sua sugestão de ter esta Conferência uma forma de convênio entre a União e os estados, no sentido de serem permanentemente estudados e decididos os assuntos técnicos educacionais, produziram no auditório uma vivíssima impressão.

As fontes de renda para o auxílio aos estados foi o orador buscá-las, é certo, nos impostos, uma vez que não se pode, de uma hora para outra, modificar a economia nacional. Apenas, salvaguardou o imposto de consumo, para preservar os pobres das consequências da tributação excessiva, sugerindo não a criação de um imposto novo, mas a majoração de algum já existente: sobre a renda ou [...]. Quanto à sua distribuição, opinou que o governo devia auxiliar os estados que já gastam muito, para estimulá-los nesse esforço que vêm desenvolvendo; devendo ser o auxílio na razão direta desses seus gastos; haveria também um auxílio proporcional à população, e um auxílio proporcional à pobreza do estado.

Assim continuou o dr. Teixeira de Freitas sua exposição, e a defesa do convênio da União com os estados, terminando por declarar ser este "o momento nº 1 da era educacional no Brasil".

As palavras do dr. Teixeira de Freitas produziram um efeito realmente formidável.

O presidente da sessão declarou: "os debates vão esclarecendo a questão", e modificou os seus presumíveis pontos de vista ("cada um de nós vai mudando, à medida que se discute" – dizia S. Ex.ª) – até reconhecer que "agora a Conferência começava a ter bases mais concretas para os seus trabalhos", e a resolver nomear uma comissão para estudar o assunto assim proposto.

As palavras do dr. Teixeira de Freitas mudaram a ordem dos trabalhos. Começa-se a ter uma base para enfrentar o problema. Se não surgir nenhuma perturbação que altere o problema agora colocado nos seus verdadeiros termos, isto é, de acordo com o regime, revestindo – ao mesmo tempo – a Conferência do seu prestígio técnico, e da função prática de um convênio, este será, realmente, como disse o orador, "o momento nº 1 da era educacional do

Brasil". E o dr. Teixeira de Freitas, que já se tinha distinguido com o preparo das notáveis estatísticas que serviram de base às considerações do Inep, assumir a uma posição, na defesa do grande problema educacional, só comparável à grandeza da sua sinceridade, da sua probidade técnica e do seu comovente carinho pelo imenso e grave problema que neste momento se está focalizando.

Rio de Janeiro, *A Manhã*, 5 de novembro de 1941

Os delegados

Refiro-me aos delegados à Conferência Nacional de Educação. Vêm dos seus estados com entusiasmos, interesses, sonhos, sinceridade, desejo profundo de acertar. Uns foram professores, a vida inteira, e trazem sua experiência direta de crianças, escolas, professores, como título único ou principal; outros são médicos, e, ao lado do problema pedagógico, situam o problema da saúde; alguns estudaram sociologia, economia, e sua visão se alarga para o lado das realizações profissionais: uns são poetas, e apesar das restrições do regimento – narram liricamente as cenas mais típicas do seu estado, no intuito de encarecer com argumentos mais simpáticos as necessidades cuja solução pretendem encontrar; há mesmo os filósofos, que falam de Platão, analisando os seus próprios planos, e de Zenon, e do argumento da flecha, ou seja, "do movimento parado", considerando as palavras do presidente da Conferência acerca das condições da educação.

– Como seria inútil uma conferência destas? – pergunta-me um delegado. Pois tantas coisas reunidas não seriam suficientes para a justificar?

Os delegados fazem importantes descobertas, depois que o dr. Teixeira de Freitas lembrou ao presidente da mesa que o Estado Novo estabelece três ordens políticas, e, portanto, não se pode desrespeitar a entidade do município.

Um falou-me, com certo receio de desagradar:

– Estou com vontade de me pronunciar sobre os debates relativos ao ensino profissional, pois descobri que a Constituição fala da obrigatoriedade do ensino dos trabalhos manuais. Ora, os trabalhos manuais são a base do ensino profissional; logo, antes do ensino profissional está o daqueles trabalhos. Isso é que é do regime. Acha que devo falar ou não?

Está claro que respondi afirmativamente. Falar é um grande mal e um grande bem. Creio que foi Esopo quem discorreu sobre as vantagens e desvantagens da arte do palavreado humano. (Digo humano porque suponho que ele não se ocupou dos papagaios.)

Mas o meu herói confessou, mais tarde, não ter encontrado um intervalo, nos debates, para o seu argumento, tão oportuno e constitucional. Um argumento que faria o ministro repetir com aquela sedutora simplicidade com que já nos acostumou a analisar os seus atos: "à medida que se conversa, vai-se mudando de opinião" – E certamente os debates sobre o ensino profissional tomariam o rumo que tomaram os relativos à extinção do ensino municipal, na sessão anterior...

Outro delegado, porém, me disse: "Descobri agora, com um colega, que as delegacias de educação, criadas por lei, que existem sob o decreto tal, do dia tanto etc., ainda não foram instaladas. Estão na lei, meu caro cronista! Fazem parte do regime! Mas como hei de apresentar a sugestão?"

Mais feliz do que o outro, esse me pode dizer, mais tarde, que um colega tinha apresentado o assunto num projeto de resolução.

O plenário da Conferência oferece esse panorama: todos os delegados querem trabalhar. Todos estão realizando coisas, aprendendo, projetando, sonhando. A Conferência, em três dias de reuniões, tem exercido sobre os delegados uma influência que em muitos anos não seria conseguida, se os problemas que agora se enfrentam muito de perto continuassem a ser avistados apenas de longe e vagamente.

Seria injusto dizer que esta Conferência não me atrai. Atrai-me, pelas surpresas que oferece, umas graciosas, outras sérias, todas importantes mesmo para os "céticos e desiludidos" que com tanta bondade e poesia o presidente da mesa incluiu no número dos que ajudam a construir, e que o dr. Sá Filho arrolou naquele "pessimismo construtivo" do engenheiro que, ao calcular a resistência das pontes, prevê sempre o desastre do excessivo peso...

Mas os delegados são o motivo do meu mais sincero e carinhoso interesse: eles retratam um Brasil puro, esperançoso, crente, um Brasil que vem buscar a promessa de sua evolução, de seu melhoramento em todos os terrenos, de um estímulo às suas virtudes, nesta Conferência que, por isso mesmo, tem a suportar sobre os seus frágeis ombros uma responsabilidade que todos contemplam, uns entusiasmados, outros ansiosos; alguns, perplexos: – pelas suas imensas proporções.

Rio de Janeiro, *A Manhã*, 6 de novembro de 1941

Para um Plano Nacional de Educação[10]

Encerra-se hoje a Conferência Nacional de Educação. Findos os debates, sob certos pontos de vista tão interessantes, os delegados, ao arrumar as malas, podem, além das saudades que estas reuniões devem ter deixado indeléveis no seu coração, guardar duas lembranças inestimáveis de todo o trabalho realizado: uma é o parecer da comissão especial composta dos drs. Paulo Lira, Fernando de Azevedo e Coelho de Sousa, representantes, respectivamente, do Dasp, de São Paulo e do Rio Grande do Sul, sobre o Plano de Educação apresentado pelo representante do Distrito Federal. Outra é o projeto de resolução apresentado pelo dr. Tude de Sousa, delegado da Paraíba, com a assinatura de 18 delegados, relativo à convocação da Convenção Nacional de Educação.

Há uma grande concordância entre esses documentos, embora houvessem procedido de fontes diversas, e realmente destinados a diferentes fins. E essa concordância é o que os torna mais significativos, revelando, ao mesmo tempo, que esta Conferência teve a honra e a utilidade de os produzir.

O parecer da Comissão Especial, sobre um Plano Nacional de Educação oferecido a exame, compõe-se apenas de três itens, que representam o ponto de vista das altas autoridades que opinaram. Diz o seguinte:

> Considerando
> 1) que o estudo do plano da matéria do Plano Nacional de Educação deve ser apenas iniciado na presente Conferência; 2) que os termos da solução a ser dada à matéria devem ser propostos pelo próprio Governo Federal uma vez que a expressão "Plano Nacional e Educação" não está ainda precisamente definida; 3) que, nestes termos, deve a Conferência limitar-se a oferecer ao Governo Federal sugestões para a elaboração de um plano nacional de educação a ser, se assim for julgado necessário,

---

10 Como se vê, Cecília Meireles também sabia aplaudir – com a mesma veemência com que criticava os erros – as medidas acertadas para a educação brasileira. E aqui perguntamos a razão pela qual tais medidas, decorrentes de um Plano Nacional de Educação, até hoje não foram plenamente postas em prática. (N. O.)

discutido na Segunda Conferência Nacional de Educação, – entende a comissão, à vista das considerações feitas, que as instruções sob o título "Plano de Educação", expedidas pela Secretaria Geral de Educação e Cultura da Prefeitura do Distrito Federal, poderão ser encaminhadas, em ocasião oportuna, ao Ministério da Educação e Saúde, para a consideração que merecem.

O segundo documento é o "Projeto de resolução" que, depois de largas considerações baseadas no espírito do regime, assim termina:

Considerando, por conseguinte, que a necessidade primordial e deveras fundamental, em matéria de educação popular, no Brasil, é instituir-se, pela fórmula convencional, a única possível – e a melhor, se acaso outras fossem possíveis, – o grande sistema nacional que conjugue, organicamente, e sem atingir os princípios do regime, nem esquecer as exigências da realidade brasileira, os recursos e os esforços das três órbitas do governo, e até mesmo da própria iniciativa privada, em prol do ensino primário, do ensino profissional e do ensino normal;
Considerando, assim, que a Primeira Conferência Nacional de Educação pode e deve sugerir ao senhor presidente da República, de cujo "poder de coordenação administrativa" (art. 73 da Constituição) depende a execução do alvitre, a conveniência de ser convocada a Convenção Nacional de Educação, a fim de que às deliberações futuras possa ser dado o sentido político e contratual, graças ao qual está habilitada a instituir e coordenar o grande sistema interadministrativo capaz de resolver os problemas cuja solução lhe foi atribuída;
Resolve:
Art. 1º – É sugerida ao Governo Nacional a conveniência de ser convocada, com fundamento no art. 73 da Constituição da República, a Convenção Nacional de Educação.
Art. 2º – É declarada de indispensável necessidade a criação do Fundo Nacional de Educação, esse fundo destinado à União, mediante majoração de imposto que for julgado mais adequado, recursos nunca inferiores ao *quantum* constituído por 15% das rendas tributárias dos estados e 10% das rendas de igual categoria dos municípios.
Art. 3º – Deve desde logo ser fixado que a distribuição dos recursos se faça de acordo com o que for deliberado pela Conferência Nacional de Educação e tendo em vista, fundamentalmente, a atribuição, para cada unidade federada, de três quotas, a saber: uma em razão do *quantum* que os estados e seus municípios tiverem despendido no exercício precedente com os ramos do ensino abrangidos pela convenção, outra em razão do

efetivo demográfico e a terceira em razão da extensão territorial.

Esse projeto de resolução, como ficou dito acima, recebeu dezoito assinaturas, e foi devidamente encaminhado.

Com esses dois documentos, acha-se de certo modo salva a Conferência Nacional que hoje se encerra.

Na véspera do encerramento, foi ainda solicitado pelos delegados estaduais ao sr. ministro que, por ocasião da visita que, em sua companhia, farão ao sr. presidente da República, segunda-feira próxima, sejam apresentadas num discurso, ao chefe do governo, as aspirações dos que concorreram a esta reunião, e as suas principais sugestões. O orador será o representante do Rio Grande do Sul, dr. Coelho de Sousa.

É grato, ao cronista, poder encerrar suas considerações sobre a Conferência Nacional com a notícia dessas derradeiras medidas.

Rio de Janeiro, *A Manhã*, 8 de novembro de 1941

A esperança educacional de James Bryant Conant

A Divisão de Cooperação Intelectual da União Panamericana está publicando, em tradução castelhana, uma série de cadernos sob a epígrafe *Pontos de vista*, cuja intenção, segundo foi explicado, é contribuir para que se conheça, para além das fronteiras linguísticas, o pensamento atual americano do norte e do sul.

O primeiro caderno era constituído por um estudo de John Gassner sobre o drama norte-americano do terceiro decênio deste século, a literatura dramática e a função social do teatro. No segundo, o poeta Archibald MacLeish estudou a posição dos intelectuais norte-americanos em relação com o conflito mundial da atualidade. O terceiro, que acaba de ser distribuído, é um estudo do dr. James Bryant Conant, presidente da Universidade de Harvard, a mais antiga dos Estados Unidos, sobre a liberdade de pensamento, a igualdade social e a educação das massas, à luz das ideias políticas e sociais que conduziram os fundamentos da República.

O original inglês intitula-se *Education for a Classless Society* e apareceu pela primeira vez em 1940 na revista *Atlantic Monthly*, de Boston. No mesmo ano foi publicado em separata da Escola de Educação de Harvard, e agora é dado a conhecer a um público mais numeroso, na versão autorizada de Edmundo Lassalle.

O estudo inspira-se na "tradição jeffersoniana", que lhe serve de subtítulo, e assenta nos elementos constitutivos, segundo o autor, do desenvolvimento da educação americana: paixão pela liberdade de pensamento, crença de que todo ser nascido nos Estados Unidos tem direito a seguir uma profissão liberal, e profunda fé no ensino primário universal.

Depois de analisar os dois primeiros elementos, o autor se detém no terceiro, ou seja, no ensino primário, citando, inicialmente, as palavras de Jefferson, no projeto de educação elaborado para a Virgínia: "A finalidade do programa educativo será ensinar a ler, escrever e contar a todas as crianças do

Estado." Repetimos a citação para acrescentarmos a observação marginal do dr. Conant:

> Tais palavras refletem um ideal em matéria de educação que, hoje em dia, nos parece inadequado. Mas, quando estas palavras foram escritas, exprimiam uma doutrina revolucionária, isto é: a crença de que todo cidadão de uma república democrática tinha direito a uma educação, por mínima que fosse.

Em seguida, o estudo do presidente da Universidade de Harvard se amplia em considerações sobre a evolução da sociedade americana, procurando mostrar até onde ela se conserva, como nos sonhos dos seus próceres, uma sociedade "livre e sem castas". E, indagando das suas possibilidades futuras, examina o exemplo de países europeus, na atualidade: sem classes, mas sem liberdade, com liberdade, mas com classes, finalmente, sem liberdade e com classes.

E refutando previsões de estratificação social, coloca o dr. Conant suas esperanças na educação, a fim de que a sociedade americana possa processar sua evolução de maneira mais fluida.

São palavras suas: "Na minha opinião, nosso novo sistema de educação pública contém potencialidades com que não sonhávamos." E, mais adiante: "Tenho a firme convicção de que esse sistema nos ajudará a restaurar a flexibilidade social, a recobrar a mais valiosa herança de toda geração: a igualdade de oportunidades".

Analisa, a seguir, a situação dos Estados Unidos, em matéria de educação. Recorrendo às estatísticas, afirma que seis milhões de estudantes de ambos os sexos frequentam, hoje, as escolas secundárias, sendo esse número dez vezes maior que há cinquenta anos, e representando 75% da juventude, que, há cinquenta anos atrás, não atingia tal nível de estudos senão numa percentagem inferior a 10%. Mostra o autor que essa diferença de percentagens decorre das próprias necessidades da vida de hoje, tão diferente da de outrora. E, em vista da situação de cada indivíduo, na defesa de uma posição que lhe permita viver, afirma o autor que todo futuro cidadão deve passar pelas escolas públicas, "deve ser educado como componente de uma democracia política, e, o que ainda é mais importante, deve ser preparado para pôr o pé no primeiro degrau da oportunidade que pareça mais apropriada".

Assim sendo, diz o autor, "é preciso encontrar uma escala apropriada para cada membro de um variado grupo de estudantes" – e pergunta se as escolas públicas e especialmente as secundárias, dos Estados Unidos, não se poderão renovar para servir a esse propósito específico.

O pensamento do autor é que se torna necessário criar muitas carreiras diferentes, para haver lugar para todos os tipos de trabalho e de trabalhadores.

> Nossas escolas – diz ele – devem dedicar-se a educar uma grande variedade de tipos de jovens de ambos os sexos para uma vida útil; devem ocupar-se não só do estudante com tendências humanísticas, mas também do futuro artesão e do artista. Devem alimentar as necessidades daqueles cujos olhos, ouvido ou destreza manual constituem seus melhores dotes, bem como devem educar aqueles que possuem especial habilidade para compreender e guiar seus semelhantes.

Sintetiza mais o seu pensamento nesta frase: "O plano de estudo das escolas deve incluir programas para desenvolver a capacidade de muitos que possuem talento intuitivo para tarefas práticas, mas que têm muito pouca ou quase nenhuma aptidão para aprender por meio de livros."

Sem dúvida, uma revisão de resultados já obtidos se impunha; e o autor não se constrange em dizer:

> tem sido uma consequência natural da nossa história que muitos valores falsos imperem em nosso sistema educativo. A capacidade para aprender nos livros tem sido colocada por alguns em lugar muito elevado da escala de valorização social e muito abaixo por outros, que professam certo desdém pelo "intelectualismo".

A citação se faz irresistível, pois agora se colore de sugestões vocacionais:

> Os pais que esperam milagrosas mudanças em seus filhos devem ter presentes as limitações impostas pela natureza. No terreno do esporte, pelo menos, se espera que os treinadores se dediquem a desenvolver e unicamente os indivíduos de positivas qualidades: ninguém protesta se um filho seu, de estatura reduzida e pernas fracas, não chega a ser um herói de futebol. Alguns pais, no entanto, parecem exigir, no campo intelectual, o milagre que não exigem no do atletismo. Contamos com que o serviço médico de nossas universidades guie cada estudante no esporte mais adequado a seu tipo físico e à sua resistência. Necessitamos de uma orientação idêntica no terreno da educação, tanto na escola como no *college* ou universidade, de modo a contribuir para o desenvolvimento de habilidades mentais e manuais.

Termina o dr. Conant manifestando seu otimismo, por ver avançar em sua terra um conceito de educação que diversifica os modelos educativos, o que lhe faz prever "a criação de mais de uma elite". Encarece a necessidade de se "examinar todo o método suscetível de desenvolver a capacidade individual do futuro cidadão, para realizar um trabalho frutífero baseado na iniciativa pessoal". Considerando os fatores sociais e econômicos capazes de embaraçar as soluções desejadas, chama a atenção para a necessidade de se proporcionar roupa e alimento aos que disso precisem, firmando que "a educação gratuita oferece" pouquíssimas oportunidades efetivas a crianças que estejam com fome "e a instrução pública só em teoria se acha ao alcance das crianças esfarrapadas..."

Para remediar essas contingências, o dr. Conant sugere transformações no sistema industrial, na distribuição dos empregos públicos, e muitas coisas mais, dignas de ponderação, como não podiam deixar de ser, tratando-se do pensamento de um professor como o dr. James Bryant Conant, "tão respeitado", conforme o recorda o prefácio e todos o sabem, "no campo das ciências puras como no da educação".

Rio de Janeiro, *A Manhã*, 11 de novembro de 1941

As ideias educacionais de Bernard Shaw [I][11]

O gênio singularmente brilhante do dramaturgo irlandês Bernard Shaw resplende em toda a sua obra, trate-se de uma peça de teatro, de um ensaio, de uma crítica ou mesmo de uma dessas infinitas anedotas suas que, mais talvez do que o resto, têm circulado e se conhecem pelo mundo inteiro.

As ideias de Bernard Shaw, em educação, possuem tal clareza e equilíbrio que não se compreende como ainda não estejam adotadas por toda a parte.

É certo que, em virtude do estilo do autor, elas se apresentam sempre revestidas de uma luminosa ironia. De modo que o leitor pode sentir-se ferido, culpado, e talvez seja por isso que, em seguida, deixa de pôr em prática tanta coisa que, embora expressa com malícia, poderia, na verdade, salvar os homens que por acaso estejam perdidos.

Os homens, não: as crianças. Mas de que é feita a vida senão de crianças adoráveis que, mais tarde, se convertem nesses adultos que em larga escala aborrecemos?

Façamos uma entrevista com o risonho irlandês:

– Que pensa da condição da criança?

– Em geral, seja qual for a nossa teoria, ou o que assim chamamos, nossa prática consiste em tratar a criança como propriedade de seus pais físicos mais imediatos e permitir-lhes fazer com ela tudo quanto lhes apeteça, enquanto a criança aguentar. A criança não tem direitos nem liberdades; numa palavra, seu estado é o que os adultos declaram ser o mais mísero e politicamente perigoso para eles mesmos, uma vez que é o estado de escravidão.

– Que espécie de liberdade se deve oferecer à criança?

---

[11] Realmente fascinante a crônica em que trata das ideias educacionais de Bernard Shaw, o pensador que definiu educação "como a conspiração organizada dos adultos contra as crianças". (N. O.)

— Toda criança tem direito ao seu próprio rumo. Tem direito a fazer-se frade, ainda que seus pais sejam ateus declarados. Tem direito a buscar seu próprio caminho e a segui-lo, quer ele pareça bom, quer pareça mau aos demais: o mesmo direito que tem um adulto. Tem direito a possuir suas próprias ideias sobre os assuntos que lhe dizem respeito, como se ela fosse seu próprio pai. Não há diferença, em princípio, entre os direitos de uma criança e os de um adulto; a diferença consiste nas circunstâncias. Permitir a uma criança portar-se mal sem repreendê-la seria deitá-la a perder. O adulto, pois, tem, sem dúvida, que exercer alguma ação, mas sem outra intenção que a de proteger a criança contra a injustiça e o abuso de autoridade.

— E a respeito da escola?

— Em primeiro lugar, é um cárcere. Mas, por muitas razões, mais cruel do que um cárcere. Num cárcere, por exemplo, os presos não são obrigados a ler livros escritos pelos carcereiros e pelo diretor (que, evidentemente, não seriam carcereiros nem diretores de cárcere, se soubessem escrever livros legíveis...) nem são atormentados de maneira alguma se não se lembram do seu conteúdo, impossível de fixar-se na memória.

No cárcere, ninguém é obrigado a sentar-se em silêncio para ouvir os carcereiros discorrerem sem interesse nem encanto sobre assuntos de que não entendem nem lhes importam, e, por isso, não podem fazer entender aos seus ouvintes nem despertar por eles o seu interesse.

Com os milhares de belos livros que há no mundo, o verdadeiro maná vindo do céu para alimentar nossas almas, obrigam-nos a ler um horrível livreco chamado manual, escrito por um homem que não sabe escrever, um livro em que nenhum ser humano pode aprender coisa alguma, um livro cujos caracteres podemos decifrar, mas sem proveito nenhum, embora o esforço de decifrá-lo nos torne odiosa, para o resto da vida, a presença de um livro. Com os milhões de hectares ocupados por montes e vales, morros e vento, ar e pássaros, rios e peixes, e toda espécie de coisas instrutivas e proveitosas facilmente acessíveis; ou por avenidas e vitrinas, multidões e veículos, toda espécie de deleites da cidade, obrigam-nos a estar sentados, não numa sala bonita e cômoda, com bons móveis e adornos, mas numa espécie de estábulo, em companhia de outras crianças, e nos batem se nos movemos ou falamos ou não provamos, com algumas respostas a perguntas idiotas, que, mesmo depois de sairmos do estábulo, continuamos a agonizar lendo aqueles abomináveis livrecos em lugar de nos atrevermos a viver.

— Fale-me da sua experiência escolar!

– Minha educação escolar me causou muito dano e nenhum proveito. É o que nos sucede a quase todos. Evitamos os castigos com mentiras e embustes e toda sorte de espertezas.

– Serão culpados, também, os professores?

– Os professores deviam odiar a escola muito mais que as crianças. Pois, assim como não se pode encarcerar um homem sem encarcerar também um guarda para não o deixar fugir, ficando o guarda tão preso por medo de desemprego e falta de recursos – como o prisioneiro por meio das fechaduras e das grades, – assim esses pobres professores, com seus escassos salários e numerosas classes, eram tão prisioneiros como nós, e com mais responsabilidade; e quebradores de cabeça.

– Julga, então, não ter aprendido nada na escola?

– No meu colégio só se ensinava latim e grego. Quando ingressei, conhecia grande parte da gramática latina, que um tio meu me ensinara em poucas semanas. Depois de vários anos de colégio, o mesmo tio me examinou e descobriu que o resultado nítido dos meus estudos era ter esquecido o que sabia e não ter aprendido nada. Até agora, apesar de saber declinar um substantivo latino e repetir alguns dos paradigmas, cuja música me ficou na memória, nunca vi numa sepultura uma inscrição latina que pudesse decifrar de ponta a ponta...

– Meu caro Bernard Shaw, suas ideias não chegaram nesta coluna, por mais que as resumisse. Por que não continuarmos nossa entrevista, por um ou dois dias mais?

Piscou-me o olho, consentindo.

Rio de Janeiro, *A Manhã*, 13 de novembro de 1941

As ideias educacionais de Bernard Shaw [II][12]

As ideias educacionais de Bernard Shaw, como já disse ontem, são claras e justas. Se são inteligíveis pela maioria, e facilmente aceitáveis, isso é outra história, que de nenhum modo me estou propondo demonstrar. Com Bernard Shaw, é sempre mais simples a gente se entender do que com a maioria, embora as maiorias é que pareçam razoáveis ou, pelo menos, acabem sempre, pelo peso numérico, por ter razão.

Uma das ideias que podem parecer mais extravagantes, entre as que o dramaturgo irlandês tem exposto sobre educação, é, sem dúvida, a que lhe ocorreu certa vez, quando uma senhora muito bem-intencionada lhe pediu que prestigiasse ou favorecesse uma escola pela qual se interessava. Bernard Shaw não opôs nenhuma resistência ao pedido. Resolveu, apenas, manifestar-se por meio de um prêmio. E, como o melhor aluno e a melhor aluna já estavam no rol dos premiados, resolveu também conceder um prêmio ao pior de todos.

Evidentemente, a distinta senhora deve ter passado por um momento de profunda decepção. Com que cara teria olhado para o irreverente escritor! E que longa queda deve ele ter sofrido, dos altos níveis em que porventura estivesse antes, no seu conceito, colocado!

Ora, o prêmio que Bernard Shaw se propunha conceder obedecia a uma condição básica: a vida do menino premiado devia ser observada, após a escola, a fim de se verificarem as relações entre os acontecimentos futuros e o comportamento escolar do menino considerado o pior aluno.

As raízes da intenção de Bernard Shaw devem ser procuradas precisamente nos inúmeros exemplos de estudantes precoces ou excelentes que depois desaparecem insignificantes no torvelinho do mundo e, ao contrário, de

---

12 Aqui prossegue a deliciosa crônica sobre as ideias educacionais de Bernard Shaw. A crônica seguinte encerra a matéria, que deve ser lida e meditada por todos os que se dedicam à educação no Brasil. (N. O.)

estudantes rebeldes, ou mesmo aparentemente vadios, que, mais tarde, vêm a ser elementos de alto valor na história da humanidade.

Muitos educadores se têm ocupado dessa importante questão: por que, na verdade, os bons alunos nem sempre vêm a ser pessoas de destaque, e, tantas vezes, os estudantes sem brilho vêm a ser homens célebres?

Bernard Shaw é o primeiro a revelar seus insucessos escolares; no entanto, qual dos seus companheiros, porventura brilhante, viria a ocupar uma posição de tal importância na literatura de língua inglesa, e, verdadeiramente, no pensamento do mundo contemporâneo?

Disso tudo se conclui que nem sempre o pior aluno é um mau aluno, e, muitas vezes, até acontecerá ser o pior justamente o melhor de todos. Não há nenhuma contradição, como parece. O pior aluno, na escola, ou é pior pelo rendimento de trabalho ou pela noção de disciplina. Ou é um aluno desatento, rebelde, barulhento, inquieto – ou um aluno que, em consequência disso, ou por outras causas, não aprende tão depressa ou não se destaca tão vivamente quanto os seus companheiros de classe.

O juízo mais fácil, evidentemente, acerca de um aluno assim, é o que se manifesta por meio de uma nota inferior, de uma repreensão, e de uma classificação demasiadamente rápida e superficial: um mau aluno.

Mas um aluno que não responde a uma pergunta pode ser um aluno sensível, tímido, emotivo, com medo do ridículo, – pode mesmo achar a aula idiota e os companheiros bobos – enfim, a razão do seu silêncio pode derivar de muitas causas, muito diferentes, e não apenas da sua ignorância ou estupidez.

Se a escola fosse de moldes ideais, e toda a psicologia infantil estivesse prevista em seus inúmeros problemas, o julgamento acerca dos alunos poderia aproximar-se da verdade. Mas a escola está longe desses moldes ideais. Por esse motivo, o aluno que, dentro dela, é um desadaptado, talvez o seja exatamente em virtude da sua superioridade sobre o ambiente.

Este ponto é importante de considerar: dado um ambiente, os que dentro dele se sentem mal acomodados nem sempre assim o estão por inferioridade sua, mas, ao contrário, pela inferioridade do meio.

A ideia do prêmio ao pior, que Bernard Shaw não conseguiu ver vitoriosa, vence, no entanto, pela poderosa sugestão que encerra.

Apenas, o próprio autor da ideia creio que não se recusaria a admitir que alguns piores são mesmo péssimos, e, de vez em quando, alguns melhores podem ser bons, podem ser excelentes, podem ser ótimos. Não se deve abusar dos paradoxos dos grandes pensadores.

Rio de Janeiro, *A Manhã*, 14 de novembro de 1941

Fim da conversa com Bernard Shaw [III]

— Quanto aos professores?
— ... os poucos que, como a sra. Solness, numa obra de Ibsen, possuem "o gênio de educar a alma das crianças" são como anjos obrigados a trabalhar em cárceres, ao invés de trabalharem no céu; e, mesmo assim, quase sempre são mal pagos e desprezados.

Agora, Bernard Shaw começa a explicar-me a sua teoria da Força Vital:
— A fórmula precisa do super-homem, isto é, do homem justo e perfeito, ainda não foi descoberta. Até que o seja, todo nascimento é um experimento na grande indagação levada a cabo pela Força Vital para descobrir aquela fórmula.

Aqui, todos os professores abolicionistas modernos se levantarão radiantes, dizendo: "Estamos absolutamente de acordo. Vemos em cada criança da escola um objeto de experimento. Estamos sempre fazendo experiências com elas. Somos continuamente guiados pela nossa experiência na grande obra de modelar o caráter dos nossos futuros concidadãos" etc. etc. Sinto ter que parecer irreconciliável, mas a Força Vital é que tem de fazer o experimento, e não o professor. E, em relação à criança, nela é que está a Força Vital, e não no professor. O professor é outro experimento; e um laboratório em que todos os experimentos começassem a experimentar uns sobre os outros não produziria resultados inteligíveis. Admito, no entanto, que, se os meus professores me houvessem tratado como experimento da Força Vital, isto é, se me houvessem deixado em liberdade de agir como me agradasse, não teria durado muito o experimento, porque o primeiro resultado teria sido um rápido movimento da minha parte, em direção à porta, e o meu desaparecimento por ela.

Talvez valesse a pena averiguar para onde iria. Posso assegurar que sempre a sítios mais instrutivos: iria ao campo, à praia, ao Museu Nacional de Pintura, ou iria ouvir uma banda de música, se houvesse, ou visitar alguma livraria onde não vendessem livros escolares...

— Parece-me que, na sua opinião, a arte possui um valor profundamente educativo?

— Apresso-me a advertir que, ao falar em ensino artístico, não quero dizer que se deem às crianças lições de desenho de ornato e perspectiva. Quero chamar simplesmente a atenção para o fato de que a arte é o único mestre,— pondo de parte a tortura. Já disse que ninguém pode ler um livro de texto, a não ser sob a ameaça de tortura. A razão é que um livro de texto não é uma obra de arte. Assim também não se pode escutar uma lição ou um sermão, se o professor ou o pregador não é um artista. Não se pode ler a Bíblia se não se possui nenhum sentido de arte literária. A razão por que o europeu continental parece tão ignorante da Bíblia, em relação ao inglês ou ao norte-americano, é porque a versão autorizada inglesa é uma grande obra de arte literária, e as versões continentais, perto dela, carecem de expressão artística. Pior do que ler um livro pesado, assistir a uma comédia enfadonha, a um sermão ou conferência insossos, contemplar quadros insípidos ou edifícios – não há nada: só uma doença.

Todos os aspectos da arte devem ser postos ao alcance dos jovens para que possam escolher a forma artística que naturalmente os deleite.

— E que me diz da literatura para crianças e jovens?

— Somente uma pessoa muito néscia substituiria com a *Imitação de Cristo* a *Ilha do tesouro*, como presente para um menino ou uma menina, ou o *Don Juan*, de Byron, como presente para um jovem ou uma jovem. Pickwick é o santo mais inofensivo para a nossa infância. *A tentação de Santo Antônio*, de Flaubert, é um livro excelente para um homem de cinquenta anos, e talvez seja o melhor livro acessível como salutar estudo do êxtase visionário; mas, para os propósitos de um rapaz de quinze anos, Ivanhoé e o Templário vêm a ser um santo e um demônio muito melhores. E o rapaz de quinze anos descobrirá isto por si mesmo, se se lhe permite vagar por uma biblioteca bem sortida, e ouvir bandas de música, e ver quadros, e gastar seus níqueis em sessões cinematográficas.

Depois disto, Bernard Shaw me fez uma larga digressão a respeito da adoração a que podem arrastar os artistas, com prejuízo da arte. E, considerando que o artista nem sempre é digno de tanta adoração, e sua influência pode ser nociva, esclareceu:

— Libertando nossos filhos da idolatria do artista, não destruiremos o seu encanto pela arte; pelo contrário, assim lhes ensinaremos a pedir arte em toda a parte, como uma condição que se pode alcançar cultivando o corpo, o espírito e o coração.

Muitas coisas ainda me disse o engenhoso irlandês. Mas todos aproveitariam mais ouvindo-o diretamente, do que através das minhas letras. Por fim, retiramo-nos, e, se ainda conversarmos, será muito longe e em voz baixa.

Rio de Janeiro, *A Manhã*, 15 de novembro de 1941

Serenata para os velhos livros

Parece que a alma que uso habitualmente extraviou-se esta noite, em sonhos, e uma outra veio substituí-la, profundamente sentimental. Acordei em saudades e, se não fosse faltar com o devido respeito ao leitor, talvez em lugar desta crônica lhe estivesse escrevendo, de preferência, alguma coisa rimada, tão melancólica e chorosa que o faria consultar a data do jornal, receoso de anacronismo.

Pois acordei em saudade. Saudade dos velhos livros. Saudade dos velhos livros por onde estudaram os nossos pais e avós.

Tenho alguns comigo: folhas amorenadas, cheiro de quase cinza, aqui e ali um futuro de traça, como um pingo de lágrima. Lágrima do tempo, que, por onde passa, deixa o vazio que é o seu destino.

Os proprietários escreviam, pelo lado de dentro, seu nome, cuidadosamente, cerimoniosamente, como quando se assina um contrato. Alguns se atreviam a fazer um floreado com a pena. Mas dentro dos limites da boa educação. Gosto muito dos que usavam tinta roxa. Tinham nomes que hoje ninguém mais saberia trazer nem chamar: Torquato, Felizardo, Caetano, Eutíquio, Epaminondas, Ladislau, Casimiro... Quem hoje tem a dignidade de possuir um nome assim?

Os velhos livros estavam identificados com a alma dos seus donos. Entre as suas folhas gastas, vão-se extinguindo, com as letras, a seda dos amores-perfeitos e o veludo das malvas. E às vezes aparecem pálidos santos, e cromos com pombos-correios, com cestinhas cheias de rosas, com meninas de botinas que têm grandes chapéus e fitas e sorriem para sempre, abraçando flores vermelhas.

Os velhos livros ensinavam uma arte de viver sutil e muito alcandorada, que se estudava com atenção e fé.

"Viver é um benefício da natureza, comum a todos; mas aceitar a morte pela virtude é próprio de grandes ânimos."

Assim aprendiam Casimiro e Eutíquio.

"Não há coisa mais bela aos olhos de Deus e dos homens que uma profunda humildade muito valorosa, um alto valor muito humilde: valor sem soberba, humildade sem medo."

Assim aprendiam Caetano e Ladislau.

Felizardo, com a fronte apoiada nas mãos, estudava sintaxe lendo frases assim:

"Grande virtude é não empeceres a quem te empeceu; grande glória perdoares a quem pudeste fazer dano; nobre gênero é de vingança perdoares ao vencido."

Epaminondas muito maravilhado se quedava atentando nesta passagem:

"S. Gregório diz que o homem em sua criação é árvore que cresce, e na tentação folha que se move, e na fraqueza flor que cai. É o homem árvore; e por isso em grego se chama *antropos*, que quer dizer árvore que tem as raízes para cima e os ramos para baixo."

Depois, todos juntos, – Ladislau e Casimiro, Torquato, Felizardo, a classe toda, – estudavam exemplos de almas nobres: arcebispos que abandonavam sua cama aos pobres, infantes que se davam em reféns, por sua gente; imperadores e reis que adoravam esposas mortas, criados que se deixavam prender e matar em lugar de seus amos, amigos que se sacrificavam uns pelos outros... e assim se iam formando, entre exemplos de caridade, heroísmo, gratidão, amizade, amor, gosto das coisas eternas, desapego à fragilidade da vida, realizando o que adiante liam: "O fruto da leitura consiste em emular o que mais agrada nos autores, convertendo em próprio uso o que neles mais se admira."

Mas depois o antigo exemplo foi envelhecendo, não sei como, – pois justamente dele é que se esperava que não envelhecesse nem morresse nunca. Perderam os generais o ânimo? Desfaleceram os santos em sua santidade? Desacreditaram-se os reis e os esposos, os servos e os amigos?

Desapareceram os Casimiros e os Torquatos. Caetano emudeceu. Ladislau fugiu.

Vieram outras gerações, de nomes novos. Agora as pessoas se chamam Fla-Flu, Toddy, Litorina. Outro dia me disseram que há um doutor que se chama Nariz...

E como podemos imaginar o jovem Fla-Flu no lugar de Eutíquio ou de Epaminondas, meditando, na tarde serena, sobre o livro aberto nos joelhos: "Assim como no eco, quando se bate entre os montes, o tom é numa parte e noutra a pancada: assim, nas adulações do lisonjeiro, o tom é em nossos louvores, a pancada em seus interesses"?

Não, não me venham falar nessa gente de nomes modernos. Amanheci em saudade. Estou aqui respirando auras de antanho, que ficaram fechadas nestes livros fenecidos.

Não me venham dizer, sobretudo, que o mundo é melhor. Aqui nestes livros, tudo está tranquilo: cada um está no seu lugar, confiando no valor de sua alma educada para o bem.

O nome de Torquato está traçado com uma certeza de imortalidade como se houvera sido gravado em mármore, com um fino cinzel. A data de sua juventude ali está, pura e perfeita. A folha de malva conserva seu contorno intacto. Talvez nela esteja escrito, com uma tinta invisível: Eufrosina, Hortência...

"As coisas do mundo são como a lua, que nunca permanece de uma mesma maneira, antes para cada dia tem sua figura."

Rio de Janeiro, *A Manhã*, 18 de novembro de 1941

Histórias de educação...

Sempre que vejo um desajustamento de família, fico profundamente triste, porque é raro que as pessoas em causa sejam verdadeiramente culpadas: qual de nós é culpado de ser o que é, e não outra coisa? Todos queríamos ser melhores, sem dúvida. Creio mesmo que cada um quereria ser o melhor de todos, o que já não é tão interessante, mas, enfim, tem o seu valor. E, afinal de contas, estou com os meus chineses: o homem nasce bom. Nem só os chineses devem pensar assim, aliás, mas quantos afirmam que o homem foi feito à imagem e semelhança de Deus. Depois é que veio o mal. Uns asseguram que foi pelo diabo, outros, que pela família, outros, que pelos professores. Acho um pouco perigoso assegurar tão rotundamente, decidindo por um só responsável.

O que eu tenho observado, e depois me dá margem a certas conclusões, é que os desentendimentos de família começam pelo desentendimento dos casais. Não me venham dizer que são os tempos, que são as modas, porque isso toda a vida foi assim. Umas vezes mais, umas vezes menos, mas sempre foi a mesma coisa. Vamos perder essa mania de atribuir todas as ruindades da vida a este desgraçado momento que passa. O que acontece é apenas isto: que hoje se fala mais nessas coisas, que as mulheres têm um pouco mais de liberdade, sobretudo têm um pouco mais de coragem, ou audácia, ou atrevimento – o que cada um lhes quiser conceder, segundo a sua generosidade. E as coisas que antes apenas se cochichavam, entre os parentes, agora se dizem em voz alta – talvez um pouco alta demais, mas isso não tem importância, e eu é que sempre fui muito sensível de ouvido.

Os desentendimentos de família não deviam ser olhados e analisados com tantos ares de escândalo – a Bíblia está cheia de casos assim, e os livros clássicos; dos românticos, então, nem se fala... Os realistas não têm outra coisa, e os modernos só isso parece terem herdado de seus antecessores...

Os desentendimentos de família são fenômenos como as tempestades, as marés, a combustão, os eclipses, os desarranjos de um motor etc. Ninguém se ri nem conta anedotas torpes, porque o seu automóvel enguiçou, porque houve uma enchente, porque houve uma explosão num laboratório. Não.

Lamenta-se, caso tenha havido consequências graves, e providencia-se para que o fato não se repita. É mesmo, talvez, uma das raras oportunidades em que o exemplo serve para alguma coisa.

Pois um desentendimento de família é uma coisa análoga. Duas pessoas não chegam a bom convívio porque não são adequadas uma à outra. Isso não quer dizer que uma delas – ou ambas – não preste. Eu até tenho visto duas pessoas que não prestam para nada se darem muito bem, o que é natural e está dentro da minha argumentação: acham-se perfeitamente adequadas.

As razões por que duas pessoas são ou não adequadas uma à outra variam muito; podem ser de ordem física, intelectual, moral, além de outras infinitas combinações, que nem se podem prever. No entanto, todas elas, conhecidas e desconhecidas, podem ser reunidas no mesmo quadro: a educação.

Tudo vem, inicialmente, da educação: mesmo a saúde, que poderia parecer a causa mais independente.

Tenho, porém, reparado que um grande número de desentendimentos se produz pelo choque entre o que por aí se chama o sentimento masculino e o sentimento feminino, que é como quem diz entre a diferente educação que meninos e meninas recebem, e vão revelar, mais tarde, em seu convívio.

Na verdade, à força de se ter imposto o conceito de que uma menina é um anjo, uma santa, uma flor, uma estrela, fez-se por muito tempo, e ainda se faz, em muitos casos, um mundo especial para ela – um mundo imaginário, de belezas irreais, e de purezas absolutamente raras e incertas.

Os meninos, ao contrário, desde pequeninos são tratados como "homens" – assim dizem os que os cercam. Infelizmente, a noção de "homem" anda tão reduzida que é como se dissessem, mais ou menos, "bichos".

Não haveria mal nenhum se as meninas, crescidas entre astros e primaveras, tules e aromas, fossem habitar as regiões dos deuses, se é que os deuses – que eu conheço vagamente – gostam de coisas assim, enquanto os rapazes, façanhudos e brutos, com garruchas e sopapos, e muitas outras fúrias, que não posso expor, se destinassem a viver com bandidos, monstros, megeras etc.

Ora, como, segundo o preceito, que vem logo ali no começo da Bíblia, Deus achou que o homem sozinho não arranjava nada, e era preciso dar-lhe companhia, lá vem a fatalidade do encontro de meninos e meninas, quando já são moços e moças, – isto é, quando assim o parecem, pois, na verdade, são apenas mais ou menos anjos e mais ou menos bichos, – e contratam um convívio eterno. Minha inteligência não dá para perceber semelhante acordo.

Eu não proporia que as meninas fossem educadas exatamente como os rapazes, porque para bichos basta a metade da humanidade; para que estragarmos ainda a outra? Também não proporia que os rapazes fossem educados como as meninas, porque a habitação dos anjos não pode ser na terra, e se já metade do mundo está desambientada, por que desambientarmos a restante?

Eu não proponho mesmo nada, porque isso é com os entendidos. Na minha opinião, se as meninas não fossem tão anjos, ficariam mulheres; se os meninos não fossem tão bichos, ficariam homens. Homens e mulheres talvez se entendessem. Pelo menos, estavam mais perto, em níveis próximos.

Como se vê, tudo histórias de educação...

Rio de Janeiro, *A Manhã*, 19 de novembro de 1941

Arte e educação

A conferência há pouco realizada pela sra. Carolina Durieux sobre a arte nos Estados Unidos fez-me lembrar as constantes exposições que tive ocasião de ver, nas galerias das universidades americanas que milhares de estudantes atravessam, mesmo em períodos de férias.

Às vezes, eram caricaturas, às vezes, outras invenções artísticas; lembro-me de ter visto muitos desenhos de propaganda contra incêndios (numa cidade quase toda construída de madeira, mas com as casas equipadas com os mais confortáveis aparelhos elétricos), e muitas maravilhas de arte gráfica – exposições de páginas de obras-primas de tipografia: letras e ornatos maravilhosos, gravuras indissociáveis, papéis que sozinhos, sem mais nada, me deixavam em êxtase. (Literatices, leitor, literatices...)

Os estudantes passavam por ali conforme a sua índole: sérios, risonhos, pensativos, distraídos, carregando livros, carregando capas, não carregando nada, lambiscando sorvetes, mascando goma, absorvendo ciência, transpirando saúde (era um verão de deixar impressionados os brasileiros), e, querendo ou sem querer, seus olhos passavam pelas paredes da galeria, onde tranquilamente se deixava estar a exposição.

Ninguém era obrigado a parar, contemplar, gostar, convencer-se e ir comprar uma folha de papel e uma caixa de lápis para virar artista no dia seguinte. Não. Apenas a exposição era anunciada, como se anunciavam as conferências nos "teatros abertos": uma coisa dentro do ritmo normal. Nem me lembro se os jornais se ocupavam disso.

Quando se vê, porém, uma revista americana, uma vitrina dos Estados Unidos, o interior de uma casa remediada, compreende-se todo o efeito desse convívio constante com coisas de arte, que pouco a pouco vão impregnando um ambiente, familiarizando a criatura com uma certa fisionomia poética de tudo, até que o hábito de beleza afeiçoa o indivíduo, de modo a não lhe permitir a proximidade do que se encontre dela desprovido.

Educar é, em grande parte, acomodar as coisas superiores, despertando na criatura humana um gosto puro pelo melhor e mais perfeito, e uma inadaptação pelo que julgamos inútil ou mau.

Inúmeras vezes uma prédica resulta sem virtude, porque há, desgraçadamente, na maior parte da humanidade, uma grande desconfiança pelos conselhos. E a verdade é que, muitas vezes, os conselhos não valem grande coisa, e o que os fornece tem, acima de tudo, em vista a defesa de algum interesse próprio.

O ambiente educa em silêncio. Nem fica rouco, nem se repete, nem se cansa em vão, nem se arrelia com os desatentos. O ambiente é poderoso e insensível, como a fatalidade.

O menino está distraído brincando, levanta os olhos, vê em cima da mesa uma jarra de flores. Todas as cores entrelaçadas. Muitos desenhos calados, vivendo sua maravilha momentânea. O menino volta ao brinquedo. Torna a levantar os olhos: as flores, ali. Isto é assim por muito tempo, e na alma do menino ficam existindo as flores, com seus desenhos, suas tintas, suas expressões. Contam que Anatole France, em pequenino, se enamorou de uma rosa pintada no papel da parede. Todas as crianças se enamoram para sempre de sua infância. E por isso tanto se diz que a educação começa no berço, embora verdadeiramente comece muito antes.

O arranjo doméstico, a harmonia da família, a paisagem cotidiana, a atmosfera da escola, tudo isso são ambientes que se vão superpondo e que nos vão nutrindo. Vemos as plantas brilharem ou murcharem conforme o sítio em que se encontram, as influências da terra, do sol, do ar, e duvidamos que o mesmo se passe conosco, que somos muito mais sensíveis que elas!

Dizia a sra. Durieux que não se fabricam artistas, mas se podem concorrer para que muita gente compreenda e aprecie melhor as coisas de arte. São palavras sensatas. E não conheço adjetivo mais formidável do que este, no mundo de hoje. Pudéssemos nós fazer com que todos compreendessem e apreciassem melhor, não apenas a arte, mas também a vida; de que ela é apenas um aspecto, – e teríamos realizado completamente a obra imensa, extenuante, infindável, da educação!

Rio de Janeiro, *A Manhã*, 20 de novembro de 1941

Oskar e a educação

Dizem os jornais que Oskar está são e salvo em Gibraltar. Oskar é gato preto que foi, primeiro, mascote do *Bismarck*. Quando *Bismarck* desapareceu nas águas, Oskar defendeu sua vida, nadando vigorosamente. O *Cossok* recolheu-o, e Oskar foi transferido para o *Ark Royal*, onde continuou a exercer suas anteriores funções de mascote. Agora, afundado o porta-aviões, tornou o gato a salvar-se numa jangada. E está em Gibraltar.

Essa agilidade de Oskar deve ainda correr por conta daquela bênção de Maomé sobre o felino que adormeceu na manga da sua roupa, e cujo sono o profeta não quis perturbar, preferindo cortar o pano a despertá-lo, quando teve de atender a hora da prece. Diz-se que o bichano lhe fez uma profunda reverência, quando o viu voltar, e Maomé lhe conferiu, em nome de Deus, a virtude de sempre cair de pé. Conferiu-se o dom do supremo equilíbrio: esse dom que nos põe boquiabertos quando vemos os funâmbulos saltarem no ar como criaturas de asas, sem a menor preocupação pela altura do trapézio e a fatalidade da espinha dorsal...

A estirpe de Oskar é antiquíssima, e tem sido venerada de maneira pasmosa, entre as mais diversas gentes. Bastaria lembrar o Egito, onde as divindades do amor e da música se confundiam com a figura dos gatos, e as mulheres mais belas eram as de feições felinas, e as famílias punham luto pela morte de um bichano.

Fora das cismas da Idade Média, que acusava os gatos de intimidades com a bruxaria, os felinos não têm merecido senão honras, e honras altíssimas. Túmulos têm sido elevados à sua memória, com epitáfios em prosa e verso; provérbios têm surgido, inspirados em sua habilidade e finura.

Baudelaire cantou-os com aqueles estranhos tons da sua música. Referiu-se a um:

> [...] *chat mysterieux,*
> *chat séraphique, chat étrange,*
> *en qui tout est comme en un ange,*
> *aussi subtil qu'harmonieux.*

Esse era o gato que, segundo o poeta, habitava o seu cérebro, e por lá passeava com uma soberba tranquilidade de quem está em casa própria. Aí está uma glória sem precedentes. Que outro animal tem morado na cabeça de um poeta, conforme declaração explícita do senhorio?

Baudelaire viu-os de mui suntuosa maneira: poderosos, suaves, altivos, repletos de centelhas mágicas e com estrelas de ouro em suas pupilas místicas.

Chamou-os *amis de la science et de la volupté*, seduzindo com suas posturas de esfinges estiradas na solidão os grandes amorosos e os sábios mais austeros.

Um gato não é, pois, um animal qualquer. É um animal com grandes responsabilidades: abençoado pelo profeta, amaldiçoado pela Idade Média, adorado pela antiguidade, cantado pelos poetas.

Foi assim que o gato virou símbolo e talismã. A mentalidade humana que continua a ser mágica, por muito que os cientistas queiram provar o contrário, apoderou-se da figura a que tantos poderes foram atribuídos, a fim de, pelo seu contato, participar também das suas formidáveis, embora secretas, virtudes. Simples fenômeno de magia simpática, como o sabe qualquer estudante de antropologia.

Qualquer estudante de antropologia sabe também o valor atribuído às cores, em magia. E o fato de Oskar ser um gato preto devia inspirar certa desconfiança. Mas, em coisas de sorte, parece que o uso é servir a Deus sem contrariar de todo o Diabo... E Oskar foi elevado ao posto de mascote de um grande navio de guerra.

Neste ponto é que as coisas começam a ter que ver com a matéria desta coluna: o comportamento de Oskar é profundamente suspeito, quando considerado por um educador. Pois toda a gente que confiou em seu poder sossobrou. E Oskar, ao invés de se portar como os grandes comandantes, que baixam com seus barcos até o outrora denominado império de Netuno, firmou-se nas patas abençoadas por Maomé, e deu o seu pulo famoso, o pulo que se escapa às fatalidades iminentes...

O pulo, em si, é uma grande maravilha. Mas o compromisso de uma mascote – vamos e venhamos, – é partilhar com os outros o seu poder, e não guardá-lo para benefício exclusivo.

O *Ark Royal* não teve medo do exemplo, e tomou conta do bichano. Pois o *Ark Royal* também se foi, e o bichano escapou novamente.

Na minha opinião isso é um abuso mágico. E creio que, daqui por diante, embora todos continuemos a crer nas centelhas, nas estrelas de ouro, no ar de esfinge, na bênção do profeta, na deusa Bast, – o altruísmo dos gatos fica profundamente abalado. E se eles algum dia tiveram valor, como mascote, perderam-no, com o correr dos tempos, e necessitam ser reeducados. Porque ser mascote é como ser guia, como ser chefe, – e ser responsável por alguma coisa que excede os limites individuais.

Mas no momento de condenar com veemência Oskar, o gato pérfido, um argumento me ocorre, que talvez o reabilite: quem sabe o clarividente, que habita o cérebro dos poetas e priva com os sábios e profetas, não quis exprimir sua isenção nos conflitos humanos?

> Não salvo gregos nem troianos – teria ele decidido com a sua felina intuição, – sou gato, o gato Oskar, meu domínio é o sonho, são as sombras, os silêncios, as solidões. Minha natureza se inclina para os templos e os mistérios. Como Moisés, salvo-me de todas as águas, porque a minha virtude é pairar. Os homens que busquem suas forças em outras fontes. Eu sou o morador da paz.

Seriam estas as razões de Oskar? Enfim, de um gato tudo se pode esperar...

Rio de Janeiro, *A Manhã,* 21 de novembro de 1941

Autoeducação ou Deus, o homem e a linotipo

"No princípio, era o Verbo", diz São João. O Verbo estava em Deus e era divino. Todas as coisas que vieram a existir, vieram através do Verbo. O Verbo era o pensamento e a força espiritual de Deus.

As primeiras palavras que se conhecem, de Deus, são as que ordenaram o aparecimento da luz. Mas, antes, já havia terra, escuridão, abismo e vento. Aí foi que o Verbo se fez voz. E logo se fez luz. Depois, tornando a ser voz, foi firmamento, mar e terra firme, flora, estrela, sol, lua, peixe, pássaro, animal do chão, e, finalmente, homem.

A Bíblia não é extremamente clara; suponho, porém, que até aí tudo fosse criação poética de Deus, sonho, imaginação, porque mais adiante se diz que Deus modelou de terra todas as criaturas do ar, da terra e do mar, e levou-as a Adão, para que ele lhes desse nome. A ideia das coisas tinha sido divina, mas sua existência relativa, essa ia ser humana. E o homem começou inventando o substantivo que devia designar a mulher nascida da sua costela.

Depois, Deus foi pouco a pouco deixando a terra, porque o mundo existente se afastava cada vez mais da ideia do mundo, como se pode presumir. Ainda falou a Noé; mais tarde, a Agar; depois aparecia em sonhos, em visões, de longe em longe, e apenas a alguns eleitos. Por fim, tantas coisas aconteceram que os homens chamavam Deus, e Deus não respondia. Porque o mundo tem pecado grandemente.

Ficou, assim, o homem com a mulher, os bichos do ar, da terra e do mar, a noite e o dia, os luzeiros de todos os tamanhos, as plantas, e os nomes de cada coisa. Tudo se foi multiplicando, e Adão não era apenas Adão, mas Caim, Abel, Sete, Enoque, Irad, Maviael, Matusael, Lameque... E já não havia apenas Eva, mas Ada, Zilá, Noêmia, Sara, e todas as outras que não chegaram a figurar nos livros.

Os bichos também se foram multiplicando, as leis da genética foram estabelecendo diferenças, e Adão, nos seus novecentos e trinta anos de vida deve ter inventado muitos outros nomes. A arca de Noé media 300 côvados de comprimento, 50 de largura e 30 de altura: estava dividida em três andares, e cheia de bichos, dois a dois.

Tudo isso eram palavras. Palavras para designar e para qualificar e para indicar ações e relações. A gramática já ia muito adiantada, por esse tempo. E o homem fazia nascer as vírgulas, que separam, e criava interrogações, com suas perguntas, e exclamações, com os seus espantos, e cada vez que a morte aparecia era inevitável a concepção do ponto final.

Mas, enquanto o homem não inventou a escrita, tudo isso habitou na sua cabeça como a ideia do mundo, em Deus, quando era apenas Verbo.

Na escrita, o homem foi fazendo a segunda Gênesis: modelou os sons em letras, as coisas e pessoas em palavras, deu imagem ao movimento, a direção, ao tempo, e até as coisas que Deus não formou, as coisas que ficaram irreveladas no Verbo profundo, essas mesmas o homem procurou adivinhar, colher, fixar com o seu engenhoso artifício gráfico. Essa tem sido uma espinhosa tentativa, porque a imensidade divina se presta a infinitas interpretações, e o artifício gráfico também pode ser desenvolvido até limites inimagináveis. As palavras começaram a viver, como as imagens de barro animadas por Deus começaram a espalhar sua irradiação, seu fluido, sua força, e um outro caos se espalhou pelo mundo, no qual se debate o homem, bastante poderoso para engendrá-lo, mas nem sempre suficiente para o dominar e conter.

Assim como as formações da semana divina se multiplicaram pela terra, também a produção humana se multiplicou. E isso, hoje em dia, é função peculiar da linotipo.

De modo que, por ordem cronológica, primeiro foi o Verbo, como diz São João. O Verbo irrevelado. Depois foi a palavra manifestada. E, afinal, foi a palavra difundida.

Se Deus se oculta às vezes, o homem, com sua responsabilidade e seu remorso, procura atraí-lo pela palavra. Faz-se orador, faz-se poeta, faz-se cronista, faz-se repórter. Capta a divindade. Está claro que nem sempre o resultado é convincente, – e a culpa não é da divindade, mas da antena.

Suponhamos, porém, que, uma vez ou outra, Deus se deixasse alcançar. O homem, feliz, agarraria nas suas letras o espírito que paira acima de todas as lutas e acidentes. Nessa hora, apareceria a esfinge da linotipo.

A linotipo é igual a Gioconda. Parece que está pensando, parece que está sorrindo. Sob as suas plácidas mãos pode haver um diamante, um veneno, a pedra filosofal, – não se sabe.

A linotipo sorri e esconde uma vírgula. A linotipo fecha os olhos e lança para a lua três, quatro palavras que colhe aqui e ali. A linotipo faz prestidigitação e transformismo. Propõe charadas e usa voz de oráculo. Os mortais param diante dela e ora entendem, ora não entendem, ora pensam entender. Eu creio que a linotipo é a vingança de Deus.

Ela sabe do seu poder. Sabe que é governadora das letras, monarca do pensamento e, portanto, imperatriz do mundo. Os títulos podem parecer espantosos. Mas são tão fiéis!

Ela sabe de relatividade mais que Einstein. Lembra-se que, por um engano de letras, a estrofe em que Malherbe lamentava a morte de Roselle imortalizou o maravilhoso pensamento originado do erro de composição:

> *Et "rose elle" a vécut ce que vivent les roses:*
> *L'espace d'un matin.*

A linotipo é a ambígua divindade do bem e do mal.

Um jornalista francês celebrava os infinitos encantos de uma artista dramática e escrevia *"charmes infinis"*. A linotipo sorriu e trocou *"infinis"* por *"infimes"*. O jornalista desesperado fez publicar novamente o artigo. A linotipo alargou mais o sorriso e escreveu "infames". Mais desesperado volveu o escriba à máquina, com a segunda emenda. Então, a linotipo soltou uma gargalhada de desvario e escreveu *"intimes"*. Evidentemente, a divindade estava convertida em fúria; uma seiva demoníaca circulava por dentro dela.

A linotipo é um elemento vivo, é uma força, da qualidade e poder das forças naturais. Eu, quando leio estas minhas crônicas, não é para as admirar, mas para ver até onde a linotipo colabora comigo. E sorrio encantada. Sinto-me profunda, ininteligível, convertida em fábula. Meus escritos encerram uma sabedoria que não lhes foi transmitida por mim. E creio em todas as palavras que encontro. Aprendo mais do que poderia ensinar. Autoeducação.

Rio de Janeiro, *A Manhã*, 22 de novembro de 1941

Mnemônica da época

A cidade anda em grande sobressalto, e os farmacêuticos não têm mãos a medir. Não é peste, não é epidemia. É pior do que todas as pestes, os estudantes do curso secundário andam em provas, e têm de decorar toda a matéria vastíssima aprendida, isto é, decorada o ano inteiro. Trata-se agora de um grande ensaio geral de decoração. Os cérebros estão absolutamente convulsos, com as circunvoluções ondulando desencontradas, como as águas do mar, em horas de tempestade. Os estudantes procuram a Geografia do lado direito, mas encontram aí a Química. A História Natural, que se alojava para os lados da nuca, transbordou para a parte anterior, e nesse fervilhar de ciência apressada todas as nações se misturam, e os jovens se perdem desesperados, como diante das gavetas da cômoda de um louco; puxam pela gravata da História e sai a meia da Física; procuram o saiote da Literatura e aparece o colete da Matemática.

E os farmacêuticos fazendo pílulas para abrir a inteligência. Agitando coquetéis de magnésio e fósforo. Pesando sozinhos, não para afiar o raciocínio, ou polir a imaginação, mas para robustecer a memória, para dilatar a memória como um balão de papel, com que subam aos precários céus dos exames secundários os míseros aeronautas de quinze anos.

A luz dos quartos dos meus vizinhos não se apaga, a noite inteira. Em cada quarto está uma criança descabelada, com os olhos vermelhos, aprendendo em vinte e quatro horas um grosso livro, que levou muitos meses a ser escrito e cujo autor, à medida que o escrevia, riscava, apagava, emendava, ia consultar outros livros. Sobretudo ia consultar outros livros. E se o referido autor fosse posto, desprevenidamente, no banco da escola, sem mais recursos que uma pena e um papel, não asseguro que fosse capaz de reproduzir o que antes escreveu, e que agora os leitores são obrigados a reter na cabeça, com todos os seus pontos e vírgulas.

Os tristes pais andam sonâmbulos, em redor da casa, em redor dos filhos, com xícaras de chá, com colheres de sopa, com caixinhas e vidrinhos mágicos, para ativarem a inteligência na prole. É pior que uma epidemia. Muito mais triste. São os exames de curso secundário.

E as infelizes vítimas, de olhos cerrados, murmuram, balbuciam, resmungam, tartamudeiam, engrolam, enquanto os anjos da guarda, desanimados e sonolentos, guardam, com as suas mãos inúteis, em caixas de nuvens, os belos sonhos indicados para essa idade. Dobram os vestidos das histórias bonitas, dobram as rendas dos belos poemas, fecham os belos livros de viagens. É a grande Vigília do Saber. Todas as belezas do mundo e do extramundo caem despedaçadas diante da sua força atroz.

Puxei conversa com um estudante, para saber como andava em matéria de Literatura. Confessou-me que tinha decorado uma coleção de autores, acompanhados da coleção das respectivas obras.

– Mas leu algumas? – arrisquei.

– Não, não tivemos tempo... Decoramos, apenas, os títulos...

Naturalmente, isso me causou uma funda impressão. As obras de um autor se conservam na memória de quem as lê por uma série de relações entre personagens, estilo, tema... Esse conjunto é que está preso a uma espécie de rótulo, que vem a ser o nome do livro. Pelo menos com os livros dignos é assim que acontece... Mas o meu jovem amigo não entendia nada de livros, em Literatura. Entendia de títulos. E até me olhou com certa aversão, pensando que eu ainda o queria sobrecarregar com o peso do conteúdo de toda a literatura nacional, quando ele já se sentia bastante vergado sob o peso das capas...

Afirmou-me que era uma tarefa penosa conservar tanto nome sem sentido. Porque ele estava de acordo comigo, nesse ponto. E explicou-me a sua técnica – pois era um estudante cujo raciocínio ainda não se resignara a sossobrar completamente.

– Inventei um artifício engraçado para ajudar a memória: Por exemplo, a respeito de Alencar: A tribo se compunha de *Ubirajara, O guarani* e *Iracema*. A *Senhora Lucíola – Diva –* , com *As asas de um anjo* e *A pata da gazela*, tinha *Sonhos d'ouro*. Em *O tronco do ipê* não há *Til*, mas acento circunflexo.

Não pude deixar de sorrir diante da defesa desse infeliz de quinze anos. E ele continuou, confiando na minha camaradagem:

– *A retirada da Laguna* foi feita com *Inocência*. *Dom Casmurro* e *Iaiá Garcia* incluíram o *Memorial de Aires* nas *Memórias póstumas de Brás Cubas*. O morto contava *Histórias da meia-noite* e *Histórias românticas* toda *A semana*, até o dia da *Ressurreição*. E dizia: são *Papéis avulsos*, são *Histórias sem data*, são *Relíquias de Casa Velha*, escritas com *A mão e a luva*.

Íamos por essa altura, quando eu disse comigo: "Há que divulgar este processo, para aliviar os estudantes que ainda não o conheçam..." Então, o jovem atirou esta última:

O Raul Pompeia,
não foi Pompeu.
Só escreveu
O Ateneu.

No meio de tamanha infelicidade, bem-aventurados os que sabem sorrir e fazer sorrir!

Rio de Janeiro, *A Manhã*, 26 de novembro de 1941

Palestra ambulante

Anunciara-se uma palestra do professor Robert Lee Eskridge, sobre pintura americana. Trata-se de um técnico, que se dedica à decoração mural e exerce suas funções docentes no Departamento de Arte da Universidade de Havaí, em Honolulu.

O professor Eskridge tem uma personalidade muito interessante, a que esse ambiente de Honolulu comunica, certamente, uma sugestão mais exótica. Escritor também, espírito móvel e curioso, bastante fino e suficientemente irônico, possui uma palavra fácil e agradável, e um grande dom de comunicabilidade.

No dia da palestra, os interessados compareceram ao Museu de Belas-Artes, onde ela se devia realizar. Foram chegando os artistas, os jornalistas, as senhoras que gostam de conferências, as mocinhas que adoram praticar inglês – um grupo bem numeroso para as quatro horas da tarde, quando todos ainda estão mais ou menos ocupados em suas repartições e escritórios.

As pessoas que chegavam iam na direção da sala de conferências. Mas, aí eram avisadas de que a palestra seria ambulante e o conferencista discorreria diante dos quadros da exposição de arte americana, indo de uma sala a outra, acompanhado de seus ouvintes. *Qui m'aime me suit.*

Isso é uma prática absolutamente comum nos Estados Unidos, mas causou estranheza a alguns dos presentes, que, no entanto, se arriscaram à experiência da novidade.

E assim foi o professor Eskridge explicando por que este quadro lhe agradava (ele prometera tomar para assunto os de seu gosto, e sobretudo não ser "cacete"), como devia ser interpretado este outro, o que o autor desejou exprimir com uma certa cor ou um certo ângulo, o valor de um tema ou de uma composição, as sugestões de certas tintas e certos processos, as diferenças de construção, o estilo, a escola, e a arte de fruir cada criação, isto é, o sentimento estético.

Tudo isto foi feito com uma grande simplicidade para os presentes: como quem vai por uma rua desconhecida, na companhia de um amigo que lhe é familiar, e para diante de cada vitrina, olhando com mais atenção, à medida que ouve suas palavras explicativas, as coisas em que antes não tinha reparado bem.

Embora, a princípio, causasse certa estranheza o estilo da conferência, em pouco tempo os ouvintes se sentiram perfeitamente à vontade, tanto mais que ela assumia, a todo o instante, o caráter de diálogo, com perguntas dos interessados – o que também é de rigor em palestras de qualquer natureza, nos Estados Unidos.

Após uma hora de passeio, de sala em sala, o auditório estava um pouco desfalcado. Mas os que foram até o fim mostravam-se radiantes, o que revelava o bom êxito da dissertação.

Porque a verdade é mesmo esta: um salão repleto nem sempre representa, para um conferencista, um sucesso absoluto. Há regras de conveniência, uma etiqueta para se ir até o fim em certos martírios, e a vergonha de ser desertor nunca é tão grande como quando se tem de atravessar uma sala cheia de gente, pisando os pés dos cavalheiros e arrebatando as penas dos chapéus das donas.

Numa conferência ambulante, os desertores desaparecem suavemente. Evaporam-se. E, se é verdade que se sentem muito aliviados com isso, nem imaginam o alívio que causam ao conferencista, porque ainda há uma coisa pior que assistir a uma palestra que não interessa: falar a um auditório que não se acha interessado.

Numa conferência ambulante, a seleção é feita rigorosamente pelo prazer de ouvir, pelo aproveitamento da matéria, pela atenção sustentada por um assunto útil ao ouvinte.

Nesse caso, não há ilusões possíveis: o conferencista chega ao fim certo de que foi acompanhado por uma turma de fiéis. E os fiéis foram levados até o final por alguma coisa mais forte do que eles, que os atraiu, cativou, submeteu, na disciplina da atenção e, afinal, da própria fidelidade.

Como lucraríamos se as palestras brasileiras seguissem o exemplo desta! O exemplo múltiplo da utilidade de explicar as coisas mais sérias e sutis, da liberdade concedida a cada um de ouvir apenas o que lhe agrada, e de ser falada de maneira tão simples, tão sem adjetivos, com tal naturalidade, que se desvanecesse a impressão de um grave discurso, e apenas se guardasse a lembrança de um momento de claridade espiritual, leve e sorridente.

Rio de Janeiro, *A Manhã*, 27 de novembro de 1941

A educação na Argentina

Os inspetores das escolas argentinas reuniram-se em comissões, recentemente, a fim de fazerem uma revisão de assuntos pedagógicos, confrontando a realidade escolar com os princípios estabelecidos nos regulamentos. É preciso não esquecer que, nestes últimos dez anos, a Argentina tomou também o seu lugar entre os países que se dedicam a reformas de educação. Estudos da criança, do professor, das escolas, da técnica didática, da finalidade educativa foram aí levados a efeito. A atual revisão visa corrigir imperfeições de interpretação, modificar medidas ineficientes, apresentar novos pontos de vista, focalizar problemas não considerados anteriormente, ou provocados pelas atividades reformistas: em suma, essa revisão equivale a uma síntese da educação argentina atual, contendo sugestões para os casos ainda não satisfatoriamente resolvidos.

Um dos mais interessantes estudos apresentados foi o relativo à deserção e "ausentismo" escolar.

Verificado que uma alta percentagem de crianças não recebe os benefícios escolares, ou abandona a escola antes de finalizar o curso, os educadores encarregados dessa tese procuraram estabelecer as causas do fenômeno, e, em seguida, encaminharam as respectivas soluções.

Estabeleceram duas categorias de causas: "externas" e "internas" – as primeiras, alheias à escola, relacionadas com os vários aspectos do meio econômico, social, geográfico, cultural etc.; as segundas, dependentes da escola, da sua organização, sua técnica, sua orientação etc.

Em exposição minuciosa, as "causas externas" compreendem: pobreza do lar e alimentação deficiente da criança, negligência e egoísmo dos pais; incompreensão; abandono material e moral da classe necessitada; ocupação das crianças em empregos ou tarefas rurais; dificuldade de comunicações; maus caminhos ou mesmo falta de caminhos; enormidade das distâncias; falta de meios de transporte para crianças de zonas distantes da escola; falta de cumprimento da Lei de Trabalho dos menores; ingresso tardio na escola; saúde das crianças, desnutrição, redução da capacidade intelectual; disseminação da população rural; localização inconveniente de muitas escolas; ausência prolongada dos alunos, por ocasião das colheitas; escassez de pessoal docente.

Quanto às "causas internas", apontam-se como principais: falta de adaptação do ensino e de acomodação da escola à capacidade, necessidades e interesses da criança e do jovem; falta de adaptação do horário, nas zonas rurais; falta de graus diferenciais; deficiência na regulamentação escolar; edifícios incômodos e mal dotados para o combate ao frio; preparo técnico deficiente do professor.

Sugeriu, então, a comissão, as seguintes medidas, para as "causas externas": melhor distribuição das escolas, principalmente as rurais; legislação adequada sobre a assistência social da criança; leis de caráter social: parcelamento da terra, colonização etc.; melhoramento econômico da população; "criar trabalho"; fomentar a ação das sociedades cooperadoras, e também a colaboração popular, tendo em vista maiores benefícios para a escola; cumprimento das leis existentes: trabalho de menores, educação comum (multas e ação policial); modificação da idade de ingresso à escola: sete anos; criação do primeiro superior, para evitar repetidores e acovardados mentais; melhoramento dos locais escolares, com edifícios confortáveis, e aquecimento, nas zonas frias; moradia para o diretor, em toda escola rural; criação das escolas e graus que forem necessários; criação de escolas ambulantes, com cursos abreviados; criação de escolas-lares ou aldeias-escolas nas zonas rurais, para vencer a distância e a miséria, e resolver, também, o ensino agrário; cumprimento de leis e disposições existentes que obrigam os proprietários de estabelecimentos rurais a facilitar local para as aulas e proporcionar alojamento ao professor sempre que haja um certo número de crianças em idade escolar; proporcionar às escolas que o necessitem meios de locomoção próprios, custeados pelo estado; proporcionar alimentação e roupa à criança indigente; ação da municipalidade e dos moradores a fim de manter transitáveis e melhorar os caminhos de acesso às escolas rurais; promover o interesse popular para combater a indiferença da gente abonada pela cultura popular, mediante: propaganda da imprensa, rádio, cinema, cartazes, anúncios, selos etc.; conferências nos centros urbanos, suburbanos e rurais, a cargo de comissões permanentes, em lugares onde haja colônias de trabalhadores; criar o cargo de professor-visitador e organizar a fiscalização e vigilância do dever escolar.

Para combater as "causas internas", isto é, as que dizem respeito à escola, foram indicadas as seguintes medidas: vitalização do ensino; aperfeiçoamento do professor e seleção do pessoal docente; adaptação do horário escolar às características e necessidades da zona; distribuição racional das escolas, procurando concentrar o maior número de alunos em poucos estabelecimentos, eliminando as escolas menos eficientes; formação de graus diferenciais com caráter obrigatório; estabelecimento de um programa mínimo para as escolas rurais e divisão dos alunos em dois grupos: A (de primeiro e segundo) e B (de terceiro e quarto); procurar fazer com que as escolas rurais tenham professores capacitados especialmente para atuar no campo; procurar fazer com que toda escola rural com uma assistência média de vinte e cinco alunos tenha um diretor e um professor; preocupação intensa pela formação e educação de todas as crianças defeituosas mental ou fisicamente.

Desnecessário alongar com o nosso comentário esta notícia. Chamamos apenas a atenção do leitor para as medidas que, sugeridas por essa comissão de técnicos, possam ter aplicação entre nós, em caso idêntico.

Rio de Janeiro, *A Manhã,* 23 de setembro de 1941

Educação de surdos-mudos

O Instituto Nacional dos Surdos-Mudos há cerca de dez anos vem realizando uma obra educacional de grande alcance, com a adoção de práticas modernas e bases científicas no ensino especializado dos seus alunos. Agora, o seu diretor, que é um entusiasta, em matéria de educação de anormais, acaba de redigir um anteprojeto do regimento daquele Instituto ampliando a sua órbita de ação, e convertendo-o num estabelecimento modelar, de acordo com os mais recentes ensinamentos da pedagogia.

Pelo atual regimento, fica o Instituto acrescentado de um curso normal, de um internato feminino e de um jardim de infância.

O curso normal destina-se a habilitar professores na didática especial de surdos-mudos, por meio de preparação teórico-prática e instrutores que poderão exercer sua profissão tanto no próprio Instituto, como no magistério particular ou em escolas oficiais que venham a ser criadas, principalmente no interior do Brasil, onde, segundo dizem as autoridades, é mais densa a população dos anormais dessa espécie.

O internato feminino procurará dar solução ao problema das meninas surdas-mudas, que até aqui não gozavam dos benefícios concedidos aos meninos.

Finalmente, o jardim de infância se destinará às crianças de três a seis anos, de ambos os sexos, e sua criação constitui medida de grande valor na educação dos surdos-mudos, que, quanto mais cedo se inicie, mais possibilidades tem de alcançar resultados vantajosos.

Além dessas inovações que o regimento vem introduzir no Instituto, há também a considerar a ampliação dada, no mesmo, aos serviços de Clínica e de Pesquisas Pedagógicas. Assim, ademais das suas atividades técnicas, no terreno clínico, o referido serviço dará maior expansão às pesquisas médico-pedagógicas até agora realizadas, encarregando-se, ao mesmo tempo, da seleção dos candidatos à matrícula e dos alunos já admitidos, levando em consideração os índices da sua capacidade físico-fisiológica, auditiva-residual, mental e linguística, para melhor distribuição dos alunos pelas várias classes e seções escolares. O serviço ainda se encarregará dos estudos e pesquisas no campo da acústica e da fonética, e da psicopedagogia, em relação com as finalidades do estabelecimento.

O Instituto Nacional de Surdos-Mudos é o único estabelecimento no gênero, em todo o território nacional. Nessas condições, não é possível estabelecer um critério muito inflexível para a aceitação dos candidatos que, vindos de todos os pontos do país, aí procuram a instrução de que carecem. O regimento estabeleceu, por isso, num dos seus artigos, facilidades para esses candidatos, quando diz: "Enquanto houver candidatos à matrícula maiores de nove anos de idade e não lhes for provida a instrução em outro estabelecimento, ser-lhes-á facultada a matrícula no ISM até o máximo de catorze anos incompletos e serão ensinados por métodos compatíveis com as suas condições individuais."

Nem todos poderão compreender as vantagens desse regimento, pois nem todos se preocupam com a educação dos anormais, embora, segundo corre, os verdadeiros normais não sejam tantos quantos se creem...

A educação de anormais não é um fato sentimental, como também, por outro lado, outros imaginam.

Diríamos que, na educação dos anormais, de qualquer espécie, o que se verifica é a conjugação de dois problemas: o humano e o social. Do ponto de vista humano, é claro que o aproveitamento de todas as criaturas, para que tenham uma vida mais feliz, reside na educação: desde que a criatura apresente uma particularidade que a coloca em situação especial, a educação se especializa, para poder atender ao seu caso.

Do ponto de vista social, é claro que interessa o aproveitamento de todos os valores humanos. Se João é cego ou Manuel é mudo, não os vamos relegar, por isso, a uma condição de abandono, primeiro porque, do ponto de vista humano, que já vimos, isso iria criar uma infelicidade, pois a natureza do homem tende a realizar-se: a ser qualquer coisa; e depois porque a sociedade precisa de Manuel e de João, embora mudos e cegos. Precisa que eles estejam incorporados ao seu ritmo. Precisa da sua felicidade, para o bem-estar geral.

Isto dava para um artigo mais bonito, mas o leitor desculpe-me; ficará para outra vez. Hoje é só a notícia dos melhoramentos do Instituto.

Rio de Janeiro, *A Manhã*, 30 de novembro de 1941

Conversei com as águas

Na verdade, eu ia conversar com a estátua, que fica no meio da praça, alta e solene, toda cercada de símbolos. Àquela hora da tarde, as crianças voltavam das escolas próximas; crianças do curso primário e do secundário, cachos negros, tranças louras, – uma grande festa de risos vermelhos e róseos, beirando os gramados e subindo musicalmente para as nuvens, entre as montanhas e o mar.

Certamente, a estátua teria coisas interessantes a dizer-me, sempre ali parada, vendo desfilar todos os dias, à mesma hora, tanta criatura engraçada, cheia de ciência nos livros e de alegria no rosto, – pois eu, só meia hora num banco, já sentia um tumulto de ideias dentro de mim. E isto sem falar nos olhos das estátuas, que são olhos eternos, e veem, com seu olhar imóvel, todas as coisas que se agitam na nossa mobilidade triste de prisioneiros da vida misteriosa.

A minha dificuldade na conversa decorreu simplesmente da diferença de nível: a estátua se alcandorava num pedestal grandioso, e eu, bicho humilde e mortal, apenas avultava entre os verdes e as flores. Minha voz, a voz que uso todos os dias, sem alto-falante, não poderia chegar tão alto. E, além disso, as estátuas têm ouvidos de bronze.

Mas, quando se tem vontade de conversar, qualquer interlocutor pode servir. E, quando abaixei meus olhos melancólicos, encontrei as águas, que são o contrário das estátuas, por fluidas e transparentes, e cuja eternidade não é a do estacionamento, mas a da sucessão.

As águas são mais falantes que as estátuas: estão sempre murmurando, cantando, sorrindo, chorando. E, se não observam por muito tempo, pela sua natureza andarilha, observam muitas coisas, porque vão atravessando o mundo, das nuvens à terra e de um a outro oceano.

E com as águas comecei a falar das crianças que estudam e não estudam, e as águas sorriam e recordavam o rosto das meninas que se miravam à tarde no lago, e a mão dos meninos que atiravam pedras na onda plácida. "Nós temos uma larga história – diziam-me as águas – porque vamos contando tudo que nos acontece, e quando já estamos longe nossas irmãs que vêm atrás sabem de todos os acontecimentos da família..."

Falaram as águas, numa florida linguagem, demasiadas coisas poéticas para serem reproduzidas nestas graves crônicas muito sérias.

Mas, a certa altura, senti que as águas se enterneciam, e também me fui enternecendo, pouco a pouco. Falavam das meninas dos internatos, que, em certos dias do ano, vinham passear tristezinhas em redor do lago, com meias compridas, sapatos muito feios, vestidos horrorosos, chapéus sombrios e umas tranças de fantasma descendo-lhe pelas costas de anjinhos condenados a trabalhos forçados.

"Não sabemos de onde vêm – diziam as águas, amarguradas – mas é a coisa mais triste da nossa lembrança. Chegam como passarinhos, amarrados pelos pés, em longas filas silenciosas. São pálidas e sérias. Parece que vivem em túmulos, e ressuscitam de ano em ano, e vêm ver as cores do mundo. Têm movimento de sonâmbulo disciplinado. Andam com passos do mesmo tamanho, e vão de mãos dadas, sustentando sua mútua indiferença. Levantam os olhos brancos para o céu, para as árvores, miram o mar azul, não dizem nada, não compreendem nada, e continuam andando, no mesmo passo, com as longas meias horríveis, sem sorrirem para as flores que as chamam com suas corolas vermelhas, amarelas e roxas. Andam, andam, vão até o fim da praça, voltam, como enfermos desfilando não se sabe para quê. Depois desaparecem. E os passarinhos, que se escondem com medo de tanta sombra, voltam a cantar, e a luz, que morrera nas cinzas e nos lutos de seus chapéus e seus vestidos, torna a brilhar nas gotas d'água e no esmalte das plantas. São órfãs? – perguntaram-me as águas. Têm um ar tão sofredor que não devem conhecer pai nem mãe, nem nenhum parente na terra. E nem sabem que os parentes das crianças somos nós, as águas, e as flores e os pássaros, nossos irmãos. Não sabem que as praças com seus gramados e suas árvores esperam pelas crianças, porque este é o seu lugar de festa, é o centenário do seu contentamento!"

E das águas saíram pequenas ondas espertas que se debruçaram na margem de cimento.

"Por que não lhes diz que tirem aquelas meias horrorosas?" – perguntou-me uma. E logo fugiu.

"Por que não lhes diz que ponham bonitos chapéus brancos, ou venham só com as suas tranças para se banharem de sol?" – perguntou-me outra. E fugiu também.

Depois, veio um coro cristalino, que pedia:

"Traga as meninas dos internatos! Traga-as muitas vezes! Traga-as cantando, sorrindo, traga-as com vestidinhos floridos! Nós queremos brincar com elas! Nós não queremos que elas vivam tão tristes, e só vejam a terra uma vez no ano – mas todos os dias, para saberem como são as árvores e as nuvens, o mar e o sol, as cigarras, as folhas, as formigas – tudo isso que existe e brilha e faz a felicidade do mundo. Traga as meninas dos internatos! – disseram ainda as ondas."

E depois se foram, cantando suas modinhas de cristal, dançando a ciranda do lago, entre os canteiros de todas as cores.

Rio de Janeiro, *A Manhã,* 2 de dezembro de 1941

Doce música da infância

Uma vez encontrei muitas crianças cantando, como aqueles meninos de Lucca della Robbia, – mas as melodias não eram nossas, e as palavras tinham sido traduzidas. Perguntei por que aprendiam aquelas canções e um senhor muito ponderado, robusto e conservador me explicou com infinita bondade que era preciso fazer cantar as crianças, e... como não tínhamos cantigas daquelas...

– Não tínhamos? – perguntei com espanto. E ele me disse que não. Que nunca ouvira cantar cantigas infantis no Brasil...

E era um senhor sério, um senhor de muito boa família, sisudo e paternal.

– Mas... o sr. então não conhece a "Viuvinha", que está sentada nos altos rochedos...? (Não conhecia). Nem aquela "Nesta rua, nesta rua tem um bosque"? O bosque da solidão habitado por um anjo que rouba o coração das meninas? (Não conhecia. E até ficou meio perplexo.) Nem a "À mão direita tem uma roseira"? (Nada. E começou a impacientar-se.) nem "Lá no alto daquela montanha"? (Não, não conhecia.) Nem "Mais uma boneca na roda entrou"? (Também não.) Que horror! Que infelicidade de vida, assim robusta e séria! E o "Dominó dominé"? (Isso ainda lhe pareceu mais rebarbativo e anárquico. Perguntou-me se era em latim.) E "Esta moda das tais anquinhas"? (Procurou na memória, com gentileza. Mas a sua memória estava em branco absoluto, na circunvolução das cantigas infantis.) E "Lá debaixo do laranjal" – aquela cantiga bonita da menina que colhe flores para se casar? (O meu interlocutor, paternal e sisudo, era também celibatário, e pensou que eu estava querendo fazer malícia. Mas eu estava querendo, apenas, iniciá-lo em cantigas de crianças. Descansei um pouco, em névoas de tristeza. Mudei de parágrafo.)

– Mas então nunca ouviu cantar em redor de si? Não tem sobrinhos, afilhados, não tem vizinhos?

Quase cometi a imprudência de lhe perguntar:

– Nunca foi criança?

Certamente continuaria a responder-me "não", "não", – como até ali.

Sou difícil de desistir, quando tenho interesse real por um assunto. Lancei-lhe a última cartada:

– E a "Ciranda"? Nunca ouviu falar na "Ciranda"? O lamentável senhor sério não conhecia nem a ciranda. A ciranda das crianças. Em compensação, explicou-me com gravidade e gestos redondos que a ciranda vinha a ser uma peneira grande; e peneirava no ar a sua sabedoria em utensílios e a sua ignorância em cantigas.

Isto foi uma conversa árida, como costumam ser aquelas em que só uma pessoa fala, apaixonadamente, e a outra apenas conserta os óculos de vez em quando.

E eu queria comunicar ao meu interlocutor a poesia dos brinquedos de roda, ao cair da tarde, nas pracinhas de arrabalde, quando as crianças vão chegando com os cabelos molhados e os joelhos limpos, depois do banho. Aquela hora deliciosa em que as primeiras luzes tentam faiscar entre frondes, e a voz dos pássaros vai ficando de uma saudade tão grande, e os homens voltam para casa cansados de trabalho mas tão envoltos num ar sobrenatural de sonho...

Está claro que não consegui comunicar-lhe nada disso. Ele teve apenas a gentileza de me dizer que ia procurar conhecer essas cantigas, mas não creio que o viesse a fazer, por incompatibilidade de gênio...

De vez em quando penso nessa conversa. E lamento que as cantigas infantis vão desaparecendo, não tanto por imposições da vida, pela invasão dos brinquedos mecânicos, mas por falta de amor a essa poesia que vem de tão longe, que tem sido o doce deleite de tantas gerações, e merecia ser preservada como herança infinita e maravilhosa, que torna, enfim, o mundo mais belo.

Rio de Janeiro, *A Manhã*, 4 de dezembro de 1941

Uma biblioteca infantil

A ideia de organizar bibliotecas para crianças não se pode dizer que seja uma ideia nova. É mesmo uma coisa velha, e sem grande originalidade. Uma vez que existem livros e crianças que os leiam, as bibliotecas infantis estão naturalmente criadas.

Desde que os ensinamentos morais e intelectuais assumiram a forma escrita, começaram a existir livros destinados a crianças, embora nem sempre fossem livros propriamente infantis, pois muito se tem discutido, pelos séculos fora, se a criança é apenas um adulto em ponto pequeno ou uma coisa especial, diferente do adulto, no funcionamento.

Quando as histórias infantis foram também passando da forma oral, que melhor as caracteriza, para a forma escrita, que as salva do desaparecimento, esses livros de histórias foram aparecendo nas mãos das crianças, foram sendo guardados nos seus quartos de brincar, e, assim, separados dos livros pesados e severos dos doutores da família, foram formando a sua rodinha maravilhosa de fadas e gnomos, e constituindo despretensiosas bibliotecas infantis.

Histórias de todo o mundo foram sendo recolhidas, traduzidas, adaptadas – e as bibliotecas infantis foram aumentando, com mais fadas, mais gnomos, mais gigantes, mais anões, mais príncipes e princesas, mais bichos fantásticos, mais casamentos com festas de três dias, uma semana, um mês, um ano, a vida inteira.

Depois, os adultos começaram a fazer concorrência às histórias tradicionais, puseram-se a escrever invenções suas, quase sempre inferiores às formidáveis criações do gênio popular, e houve mais reis e rainhas, mais fadas e dragões – tudo um pouco falsificado, honra lhes seja feita, – mas assim iam aumentando as coleções.

Afinal, os pedagogos disseram que a leitura tinha um grande valor na vida infantil, mostraram a utilidade dos livros, transmitindo conhecimento e despertando curiosidades e emoções, facilitando a evasão para regiões sublimes etc. – e as bibliotecas infantis foram sendo ampliadas, pelo menos entre as crianças que dispunham de mais recursos.

O sentido democrático da educação tende a levar a todas as classes sociais os benefícios que, em tempos idos, eram exclusividade de algumas. E a ideia de oferecer bibliotecas a um grande número de crianças devia ter, como consequência, a criação de salas de leitura nas escolas.

As escolas têm, no entanto, um certo programa a cumprir, o que as obriga a um determinado horário, para distribuição das várias matérias. As salas de leitura nas escolas não podem contar com a frequência espontânea das crianças, pois estas não dispõem, para isso, senão de um ou outro intervalo, entre as lições. E um verdadeiro amante da leitura não vai agora ler, das duas e quinze às duas e meia, um certo livro, apressadamente. A leitura em grupos, metódica e pontual, parece-me um artifício não aconselhável, a não ser para tornar o livro fastidioso, e fazer a criança perder o interesse por ele.

Como os pedagogos prezam mais as virtudes que os castigos, lembraram-se que as bibliotecas infantis podiam funcionar separadas da escola. Uma vez cumprida a sua tarefa diária, a criança iria procurar seus livros, como os adultos têm a liberdade de o fazer. E escolheriam livremente nas prateleiras os que lhes agradassem, e leriam até onde pudessem, e entrariam em contato com diferentes autores, e assim estariam no seu mundo das letras como os adultos no seu – com mais camaradagem, certamente, e mais sinceras admirações e mais franqueza.

As bibliotecas infantis dessa espécie foram aparecendo por toda a parte onde se tem pela criança uma profunda consideração. Os Estados Unidos ampliaram a ideia, como é próprio dos americanos, e até fundaram bibliotecas infantis em países europeus. Mesmo no Brasil houve quem se interessasse pelo problema. E, embora não tendo sido a primeira a ser criada, a biblioteca infantil de São Paulo foi, sem dúvida, a que mais oportunidades felizes mereceu para se desenvolver.

Mas de todas as bibliotecas infantis que tenho visto, a que me pareceu mais encantadora foi a da cidade de Viseu, em Portugal. Pois até Viseu (que, aliás, é uma formosa cidade de turismo, com um maravilhoso museu) possui uma biblioteca infantil.

Nem de longe se pode comparar a uma biblioteca americana, certamente. Mas nenhuma biblioteca americana se lhe pode, também, comparar. É pequenina, conta com pequenos armários de alvenaria – mas está num recanto de jardim, jardim público onde se encontram, todas as tardes, as crianças, as borboletas, os pássaros e as flores. Foi criada em homenagem a um poeta, filho da região, e que preside em efígie à leitura das crianças.

Há bibliotecas infantis enormes, providas do maior conforto, maravilhosamente organizadas, servindo a um numeroso público de pequeninos.

Mas essa que eu vi, num jardim, coberta pelo céu, banhada pelo sol, deixou-me uma impressão inesquecível. Toda a poesia do mundo se debruçava em cada linha de cada livro.

Rio de Janeiro, *A Manhã*, 6 de dezembro de 1941

Dezembro

Dezembro é um mês encantador: logo nos primeiros dias, os nossos colegas lixeiros e carteiros – pois todos somos poetas – começam a enviar-nos os seus votos de felicidade, em cartões bonitos, com pássaros e flores – votos rimados e de saudável otimismo, tanto nos conceitos como no estilo.

Dezembro é o mês das festas, da troca de presentes entre os que prezam as tradições – e já vemos pelas lojas, numa deliciosa confusão folclórica, misturar-se o "gui" dos druidas ao pinheiro pagão e às doces figurinhas dos presépios.

Dezembro é o mês das crianças, que esperam no fundo de um sapato ou num ramo de árvore um presente misterioso, que lhes venha provar não estarem esquecidas no mundo fantástico das fadas e dos anjos.

A criança verdadeiramente criança é uma coisa maravilhosa, que vive de símbolos. Essa não berra por um boneco de duzentos mil-réis; à porta das lojas, atrapalhando o tráfego, e desesperando a família. A criança verdadeiramente criança pode ficar a vida inteira brincando com uma pedrinha, fazendo o transformismo da pedrinha em formiga e da formiga em leão. Ela está mergulhada em sonho, e este mundo cá de fora, que tem dinheiro e preconceitos, é, para quem sonha, um mundo praticamente inexistente.

Que brinquedo daremos a essa criança adorável que se serve dos objetos da terra somente como ponto de partida à sua evasão para sucessivos céus?

Dar-lhe-emos os brinquedos com que tem brincado a humanidade toda desde o princípio da vida. Dar-lhe-emos coisas simples, coisas fáceis, que possam ser e deixar de ser o que são, conforme o arbítrio do possuidor. Dar-lhe-emos formas, dar-lhe-emos cores, dar-lhe-emos sons. E ela com esses elementos irá compondo maravilhas. E isso é que se chama verdadeiramente brincar.

Bem sei que as lojas estão repletas de novidades, de brinquedos complicados que se armam e desarmam, que têm parafusos e molas. Destinam-se a outro público, não a este de que me ocupo. Não estou falando dos meninos e meninas já semi-adultos, já interessados no mundo em que vivemos, que entendem de marcas de automóveis e de aviões, e querem todos os dias um brinquedo mais difícil que no dia anterior. Esses brinquedos já se revestem de um ar de exercício de mecânica ou de física.

Estou falando de crianças. E de crianças autênticas. A essas daremos, por exemplo, um pião.

Um pião! – exclamará o leitor desgostoso. Que ideia! Em 1941 dar um pião a uma criança! Pois é: um pião. Um brinquedo que se supõe conhecido desde o século XIII, e até agora ainda existe nas lojas, é, positivamente, um brinquedo imortal. Um brinquedo que aparece em toda a Europa; que se encontra em vários lugares do Oriente, na Ásia e na Oceania; que tem dado que pensar aos etnólogos; que se desenterrou das ruínas de Pompeia; que figura em pinturas da antiguidade; que foi recomendado por Catão aos rapazes, como jogo superior ao dos dados, – é, positivamente, um brinquedo de prestígio, e de virtude. Um brinquedo que tem resistido ao tempo e às gentes.

Qual será o encanto do pião, para assim merecer a simpatia das crianças? Será o seu movimento, será a sua quase imperceptível música? Será o esforço da criança em mantê-lo em equilíbrio, pondo assim à prova a sua habilidade, que nesse inocente jogo pode ser cada vez mais aperfeiçoada?

Creio que seja o equilíbrio do movimento a grande atração que esse brinquedo tem exercido na humanidade. Neste mundo de fragilidades e derrotas, a fuga às contingências atrozes, a resistência às fatalidades, a libertação da física adversa constituem uma espécie de constante aspiração humana, como a ideia de um mundo ulterior serve de compensação à inevitável morte...

O giro do pião, apoiado apenas por uma fina ponta à superfície do planeta, frustrando a gravidade, e conservando a sua harmonia num movimento que às vezes o deixa mesmo em ponto morto, é um exemplo e uma sugestão para o espírito humano, desejoso de superar-se, de vencer, de escapar a esse domínio de forças que ele não conhece, ou, se conhece, não sabe como evitar, e cujo peso sente desde o começo ao fim da vida.

E o pião gira. E o pião, por um momento, realiza o milagre de escapar a uma fatalidade – embora, é certo, por ter passado do domínio de uma lei física a outra...

Mas a criança, como os poetas, vive de símbolos, não é o raciocínio que a nutre. Mesmo neste caso, o raciocínio poderia levá-la à filosofia. Ela, porém, fica em pleno sonho. E nem sabe o que está sonhando. Pode ser que nem de leve seja nada do que supomos... Havia uma criança que gostava de um pião porque era gordinho e cor-de-rosa como a titia...

Rio de Janeiro, *A Manhã*, 7 de dezembro de 1941

Mais dezembro [I]

É claro que não posso deixar de amar os caleidoscópios. Não há nada mais barato, mais fácil, mais infinito e mais maravilhoso. Considere o leitor um pobre canudo de papelão, com umas lascas de espelho e uns cacos de vidro por dentro, mais uma rodela de vidro em cada extremidade, e ali tem o mísero brinquedo esplêndido.

O esplendor inunda o olhar que se aventura pelo tubo mágico. Logo o horizonte recua: uma paisagem simétrica se repete a si mesma, até o infinito. O mundo em volta de nós se anula; aparecem regiões de sonho, onde elementos inesperados desdobram sua força criadora à mercê das interpretações. Uns veem peixes voando, outros, flores construindo-se, alguns falam de estrelas acesas, outros, de abelhas azuis, de aranhas de coral, de palácios bizantinos, de ícones de ouro e turquesa, de carnavais submarinos, de florestas povoadas de arlequins, de dançarinas do arco-íris, e de borboletas presas em bolhas de sabão.

Nem da cartola de um palhaço pode sair tanta coisa formidável, como dessa pequena chaminé de espelho. E, que acontece na poesia e no sonho, o olhar bem-aventurado, mergulhando nesse poço de cores, esquece as amarguras sofridas e por sofrer, purifica-se nesse jogo elementar e sutil, ganha novas forças para continuar a gastar-se pelos caminhos pedregosos de cada dia.

Não só em cores e formas se distrai o mortal que mira o caleidoscópio: aquilo é fonte prodigiosa de emoções e pensamentos. Uns dizem que ali se verifica a lei trágica da fatalidade, na obediência da cor que se desloca, e repete, no duplo cativeiro da gravidade e de reflexão. Outros, ao contrário, descobrem a libertação do que não se fixa num propósito obstinado, e de deixar ser asa de inseto, pedra preciosa, pétala de flor, olho de fera, campo, estrela, mar. Uns apegam-se à lição de harmonia, para o nascimento constante da beleza satisfatória: a obediência, o prazer da cooperação, a doçura pacífica do conformismo não estão provados ali na serena concordância das cores e formas dóceis? Os artistas apenas se deixam levar por onde possam ir: agora entram num aquário, depois se perdem entre flores e tigres, depois os animais se transformam em fogueiras, as fogueiras em anéis, trevos, mitras, sorvetes, cartas de jogar, vitrais, paredes de sala de 1900, com seus papéis pintados, lagostas de ouro e lápis-lazúli...

Os artistas não procuram correlações de filósofos: estão dentro da criação pura, sem razões e sem finalidades.

Ora, eu, que gosto de caleidoscópios, fui a uma dessas lojas por onde todos nós andamos preparando o mês de dezembro, e pedi um brinquedo desses à pessoa que me atendeu. Trouxeram-me um cilindro de papelão, muito bem-feito, com uma rodela de celuloide em cada ponta, tendo uma delas desenhada uma rosácea com uns toques de cor. E a amável pessoa explicou-me que se fazia a criança mover, diante da rosácea, papéis de diferentes cores, e assim, se obtinha todo o efeito dos antigos caleidoscópios. Estive para deixar cair das mãos o pérfido instrumento. Pensei: até os caleidoscópios andam falsificados! E senti um profundo acabrunhamento.

Fui andando na minha peregrinação, e topei com uma senhorita muito penteada, a quem perguntei quase a medo pelo brinquedo que procurava:

– Calei... o quê? – perguntou-me ela desconcertando os balangandãs.

– Caleidoscópio... – balbuciei com derrota e humildade.

– Nunca vi... – respondeu-me com a sua superioridade.

Estive para ensinar-lhe a palavra, e todo o meu grego, para que ela soubesse que caleidoscópio quer dizer "um aparelho para ver coisas bonitas". Talvez se comovesse. Mas já estava vendendo outro brinquedo e retirei-me com as mãos e o juízo abanando.

Mais adiante encontrei um velhote que não estava bem certo, mas me perguntou se caleidoscópio não era uma espécie de luneta. Claro que era.

Comprei um caleidoscópio tão prodigioso que foi preciso tirar-lhe dois terços dos cacos de vidro para não se enlouquecer com tanta maravilha.

E logo encontrei um artista que me revelou o segredo de construir caleidoscópios espantosos, com uma das rodelas de vidro destacável, para que se lhe ponham dentro todas as arbitrariedades da fantasia: pestanas, cinza de cigarro, pedacinhos de pluma – tudo tem destino, e tudo forma sonho.

Os adultos, certamente, não farão caso; mas talvez este retalho de jornal seja lido por alguma criança, e lhe dê gosto pelos caleidoscópios. Teríamos três felicidades a um tempo: a do caleidoscópio, a da criança e a do artigo. Neste doce dezembro de tragédia, três felicidades juntas seriam uma volta aos milagres.

Rio de Janeiro, *A Manhã*, 11 de dezembro de 1941

Papagaios de papel

Conheci um menino muito engenhoso, que se divertia amarrando libélulas para fazê-las voar prisioneiras do seu fio de linha. Nesse tempo eu era também criança, porém muito menos engenhosa, e me contentava em desatar os fios. Tão pouco engenhosa que quase sempre a libélula ficava magoada; mas estava cumprido o dever da boa intenção.

Só muitos anos depois vim a saber que, nos tempos clássicos, as crianças se divertiam como aquele menino, tentando fazer subir nos ares borboletas e pássaros cativos.

Muitas pessoas me têm confessado que, em pequenas, seu maior sonho era voar. E todas achavam esse sonho absolutamente realizável, o que faz crer, diante dos balões e aeroplanos, que a vida é mesmo como disse o poeta, um sonho da juventude realizado na idade madura.

Todas essas declarações, e a prova formidável de um garoto que um dia se jogou pela janela fora, convencido de que podia atravessar os ares, sempre me fizeram pensar muito no destino aéreo da humanidade.

Nem todos chegam a uma convicção de tal modo profunda, para felicidade das famílias: há crianças que se contentam em participar da possibilidade voadora dos outros seres e das coisas. Mas afinal é sempre o mesmo instinto das asas, que animou tanta fábula da antiguidade, e deixou tanto símbolo nas religiões.

Os papagaios de papel, divertimento de todo o mundo, pelo Oriente, e apenas das crianças, para o lado ocidental, devem sem dúvida, sua longevidade à satisfação que proporciona esse poético desejo de voar.

Já no Ocidente o brinquedo tem uma bela idade, pois é conhecido, por descrição positiva, desde meados do século XVII. No Oriente, há referências anteriores à nossa era.

Supõem os eruditos que sua invenção tenha sido sugerida pela captura de alguma vela arrancada a um barco pelo vento.

A tradição utilitária dos papagaios de papel é igualmente longa e variada: na Coreia, diz-se que um capitão, tentando estimular os soldados, no curso de certa guerra, teria levantado nos ares uma lanterna acesa, fazendo um papagaio para lançamento de uma ponte de corda sobre uma torrente impraticável. Os chineses falam de papagaios elevados pelos habitantes de uma cidade sitiada, com o fim de pedir socorro. Também se diz que, noutra ocasião, a distância de certa fortaleza foi medida por meio de um papagaio lançado na sua direção.

Os papagaios de papel, que, no Ocidente, se reduzem a uma armação de bambu coberta de papel de cores, com enfeites de papel em fios flutuantes, afetam, no Oriente, formas complicadíssimas, sendo mesmo alguns acompanhados de pequenos instrumentos de música, o que aumenta o seu encanto poético.

Divertimento dos soberanos e da gente do povo, os papagaios servem aos diversos temperamentos humanos: os místicos podem neles encontrar o exemplo da elevação do espírito acima da terra, e cortar o fio que os põe em comunicação com este mundo, abandonando-os à existência em regiões superiores; os pragmatistas considerarão a vantagem de um fio entre o chão e as estrelas, para se ir ao firmamento, quando se deseje, com direito a voltar à terra, se for preciso; os poetas pensarão apenas nessa doçura da vida entre as cores das nuvens, na morada das chuvas e dos ventos; os belicosos se comprazerão em combates com papagaios presos a barbantes que, em certa altura, são impregnados de cola e salpicados de pó de vidro, para que o inocente brinquedo também adquira faculdades destrutivas... Um temperamento como o de Benjamin Franklin se servirá de um papagaio para outros resultados...

Enfeites do céu nas claras tardes, esses brinquedos deliciosos vão aos poucos desaparecendo, talvez com medo dos fios telegráficos, ou porque de tal modo nós vamos amontoando em arranha-céus, que eles já não encontram muito espaço livre para as suas diabruras aéreas.

No mês que é, por excelência, o mês dos brinquedos, por que não reabilitaremos os papagaios de papel, com suas vistosas caudas e suas bandeirinhas, espécie de índio revestido de policromada plumagem iluminando os céus ainda não martirizados pela grande tragédia do momento?

Rio de Janeiro, *A Manhã*, 12 de dezembro de 1941

Bonecas

Não há brinquedo mais espalhado no mundo, como não o há mais espalhado no tempo. Se as lojas e bazares exibem bonecas que representam maravilhas da indústria – bonecas de louça e de pano, vestindo todas as modas, articuladas ou não, com olhos móveis e até com fala, – as tribos primitivas constroem suas bonecas de fibras, madeira, barro, e do fundo das escavações surgem, partidas ou inteiras, as bonecas com que brincaram crianças de outras eras, pertencentes a outras civilizações.

Assim, no espaço e no tempo, a boneca estabelece a ligação da comunidade humana: nela se identificam os sonhos de todos os povos, no começo da vida, na iniciação análoga dos jogos da infância.

Companheira das crianças solitárias, a boneca é a "segunda pessoa", em que se objetivam docilmente as representações sociais dos primeiros convívios. Ela pode ser quase simultaneamente cada criatura que interessa a essas representações, recebendo os atributos que convenham e sofrendo as consequências do drama a que está servindo.

É por esse motivo que as bonecas muito artísticas ou, pelo menos, bastante complicadas, que muita gente gosta de oferecer às crianças, pensando dar com essa arte ou complicação mais valor ao brinquedo e mais prazer a quem o recebe, em geral não interessam quase nada. Essas bonecas, bonitas para os adultos, não realizam, para a criança, o ideal, solicitado pela natureza do jogo a que se destinam.

E quando os pais ficam muito consternados diante das ricas bonecas a que as crianças arrancaram as roupas e os chapéus, não assistem senão a um ato de legítima defesa do interesse infantil, na utilização de um objeto que, sendo destinado à expressão criacionista da infância, precisa libertar-se, primeiro, dos elementos artificiais que lhe foram impostos pelos adultos, e embaraçam esse mesmo criacionismo.

Assim, quando a criança despe a sua boneca de roupas sem sentido, para ela, – pois em geral traduzem apenas conveniências industriais – e propõe-se fazer-lhe outras roupas mais satisfatórias, embora menos perfeitas, e que muitas vezes nem chegam a ser acabadas, – não há que ralhar nem punir, pois isso faz parte do divertimento. É lamentável, sem dúvida, que as crianças não sirvam sempre aos interesses dos adultos que as cercam, mas a infância é uma coisa diferente... e, afinal, se a boneca é um brinquedo, a infância é que sabe como melhor o deve utilizar.

Quando eu vejo bonecas muito enfeitadas, muito pomposas e caras, tenho pena de quem as vai comprar, pois estou prevendo a sua decepção: aquilo vai ser um objeto de suplício, para a família, quando as crianças procederem à autópsia do brinquedo, a fim de descobrirem a bela modelagem do corpo e a resistência dos materiais... Diante dessas belas bonecas, que extasiam as senhoras, tenho vontade de pregar um aviso: "Compre, mas guarde na sua vitrina." Podia mesmo acrescentar, embora sabendo causar desconfiança e desgosto: "Não dê uma boneca dessas a uma criança inteligente."

Para uma criança inteligente, a boneca deve ser o pretexto para um transformismo constante. Por esse motivo, as bonecas rígidas são menos interessantes, pois não se submetem aos movimentos e posições necessários à brincadeira. É preciso que as bonecas figurem que andam, que se sentam, que executem todos os gestos dos adultos, pois estão substituindo as pessoas que a criança determina, e devem corresponder perfeitamente a essa substituição.

É verdade que as bonecas de olhos móveis e as falantes causam certa admiração e atraem a criança, a princípio. Mas os olhos trazem logo a curiosidade do conhecimento anatomofisiológico, de que resulta frequentemente a sua destruição. E a fala, por monótona, cai na margem dos artifícios, e em pouco tempo perde toda a importância.

Antigamente faziam-se "bruxas" de pano, bonecas ingênuas com olhos e boca bordados, brinquinhos de missangas, bonecas que possuíam um enxoval de chita e renda, compreendendo todas as peças do vestuário. Eram batizadas, tinham nome, tinham sua casa ou pelo menos seu quarto, ganhavam seu trem de cozinha e sua louça, deitavam-se todas as noites e acordavam todas as manhãs. Felizes bonecas e felizes donas! Boas bruxinhas brasileiras, que desertastes substituídas por bonecas de cara estúpida, – quem vos fizesse ressuscitar, quem pacientemente vos reinventasse com aqueles trapos e aquelas linhas tão simples e tão sublimes das bonecas de antigamente!

De certo, as criancinhas sabidas torceriam o nariz, mirando-vos. "Que bruxa!" – diriam. E exigiriam as bonecas de cara estúpida. Mas vós iríeis para as crianças pobres, para as crianças que não exigem nada, para as que esperam pelos milagres, aí pelo alto dos morros e pela beira das roças... Boas bruxinhas de pano, vós iríeis para as crianças que ainda têm um coração cheio de poesia, para as únicas crianças do mundo – e vossa existência não seria vã.

Rio de Janeiro, *A Manhã*, 13 de dezembro de 1941

Mais dezembro [II]

Até o fim do mês, é impossível pensar noutra coisa mais suave do que o Natal. Rodam diante dos nossos olhos árvores miraculosas, tão miraculosas que a sua neve de prata e celofane resiste ao calor voraz deste sol; e muitas mãos infantis se levantam para os seus ramos, para colher o brinquedo desejado, entre velinhas acesas e luminosas esferas de mil cores.

Não há, pois, mais doce ocupação que errar pelas lojas, entre carrinhos de madeira que servirão para imaginários transportes, palhaços que sorriem para todos os visitantes, bichos de todos os feitios, que esperam a chamada para se recolherem à Arca, e todas as miniaturas da vida doméstica reproduzidas em madeira e em lata.

Não é por um individual capricho que as crianças se acercam do mostruário das bolas, e com tanto interesse miram a sua forma elementar e eterna, revestida de vernizes brilhantes, riscada de paralelos ou meridianos, conservando essa atração geométrica da esfera, acabada e perfeita.

Tão grande é o número de brinquedos em que a bola é empregada, que seu uso, generalizado pelo mundo inteiro, a transforma numa companhia já muito velha e inseparável de toda a humanidade.

Na loja de brinquedos, há crianças que olham para as bolas dos jogos importantes, muito especialmente de futebol, que tanto empolga a infância e a mocidade do Brasil. Os excessos esportivos já se acham bem analisados e julgados, para disso nos ocuparmos. Além do mais, este jornal tem uma página especializada no assunto, onde devem ser feitos os respectivos comentários. Mas, sem dúvida, como todo jogo de equipe, o futebol tem as suas qualidades. E tudo está em ficar-se naquele bom "caminho do meio", naquela divina "média" a que se referia o meu caro amigo Confúcio.

Mas a bola de futebol não absorve, exclusivamente, todas as crianças. Há bolas de vôlei, de pingue-pongue, de tênis, e ainda bolas de gude, que em alguns pontos do Brasil se chamam "de ágata", por serem feitas dessa substância, embora também as haja de cimento e massa.

Fora das várias especialidades, a bola de borracha, a pelota de diferentes tamanhos, disputa a preferência das crianças, podendo ser atirada à parede ou ao solo, ou de mão em mão, em jogos que lembram os da antiguidade, e que perpetuam a mesma natural tendência ao exercício, tão bem ou tão mal aproveitada pela ginástica de hoje.

As bolas de gude são igualmente jogadas de muitas maneiras: atiradas em ricochete, em choque direto, tendo por alvo uma covinha aberta no chão, ou tentando desmanchar um triângulo formado por várias bolas.

Embora sendo um jogo tão popularizado, as bolas de gude têm a sua tradição histórica: diz um historiador que o imperador Augusto jogava gude com os escravos, servindo-se de nozes, mais tarde substituídas por seixos pequenos, finalmente industrializados sob a forma de bonitas esferas de mármore ou ágata de finas cores.

Deixamos de falar em todos os jogos apreciados pelos adultos, como o bilhar, hóquei, golfe, em que a bola é utilizada como elemento principal.

Esta rápida crônica busca focalizar, apenas, a importância da bola, como brinquedo, sabendo-se que mesmo os índios da América já gostavam de fazer pelotas de goma, de que se serviam para atirar, como exercício ou diversão.

A bola tem a vantagem de permitir tanto um jogo singular como em grupo, – o que não acontece a todos os brinquedos. Se, como jogo singular, tende ao desenvolvimento do ritmo, da agilidade, do golpe de vista, em jogo coletivo goza de todas as qualidades dos jogos dessa espécie: educa a atenção, disciplina, estabelece a camaradagem.

Esse é um brinquedo que não envelhece. Tem, ainda, o dom da forma perfeita, e seu colorido pode ser um motivo de encantamento para os olhos infantis, o que serão o fator estético a acrescentar.

Muita gente se surpreende da capacidade dos anglo-saxões em se divertirem horas e horas correndo atrás de uma bola. E há quem tenha escrito dos americanos serem um povo extremamente infantil, ou pelo menos muito jovem, a julgar por essa predileção.

Oxalá fôssemos todos jovens, para sempre, e o conseguíssemos jogando bola, uma vez que a famosa fonte de Juventa está situada em misteriosa estância hidromineral...

Eu já vi um senhor americano de cabelos brancos ganhar certo prêmio que consistia em duas bolas de pingue-pongue. Estava felicíssimo. Voltou sob aplausos, com uma em cada mão. Hércules, voltando do jardim das Hespérides, não viria tão radioso.

É preciso compreender a atração desse brinquedo em grandes e pequenos, e compreender a alegria com que as crianças miram os simples balões cheios de vento, na mão dos boleiros, pelas ruas, e as irisadas bolhas de sabão, na ponta de um canudo de papel, que se desfazem para renascer, como todos os sonhos.

Rio de Janeiro, *A Manhã*, 14 de dezembro de 1941

A respeito de papagaios

A respeito de papagaios, escrevi outro dia uma crônica inspirada, metade pelo Natal que chega e a outra metade por uma antiga escova de apanhar migalhas, que conheci na minha infância, e em cujo cabo de charão vermelho estava pintado a preto e ouro um gordo mandarim, que, cheio de felicidade, empinava um papagaio quase igual aos atuais aeroplanos.

Esse papagaio pintado, que, todos os dias, acompanhava o mandarim, o vento abstrato e a China na cerimônia humilde de limpar a mesa, depois das refeições, ficou para sempre imortalizado. A princípio, morou em silêncio na memória do meu coração. Mais tarde, levantou voo junto com outros papagaios de papel, trazendo, então, já de um passado morto, a China, o mandarim gordo e o vento abstrato, mais as migalhas e a escova, que tinham mergulhado no desaparecimento. Finalmente, revelou-se na aludida crônica, isto é, adquiriu uma imortalidade definitiva, como a que confere a letra de fôrma. Tanto pode um amor de criança!

Ao terminar a crônica, minha alma sentiu um saudoso alívio: extinguia-se o maravilhoso fantasma do papagaio – pois a imortalidade envolve uma espécie de aniquilamento da emoção, uma coisa assim como a desumanização, a transferência para estado divino daquilo que nos seguia em forma reconhecível e mais ou menos vulgar. E, como isto começa a ficar complicado, mudamos de parágrafo.

Foi nesse estado de profunda pureza lúdica e ao mesmo tempo de alegria pela divinização de uma coisa amada que me dirigi ao morro da Mangueira, de onde me queriam mostrar o panorama da cidade. Há muitos sítios que são esplêndidos mirantes, no Rio de Janeiro: o Pão de Açúcar, o Corcovado e outras altitudes turísticas. Mas o morro da Mangueira é um mirante de outra espécie. Quem tiver boa vista não vê de lá somente as águas da Guanabara e as verduras da Tijuca: vê a costa d'África, vê as danças do lado de lá do Atlântico; e, se tiver bom ouvido, sente as músicas; e, se tiver bom coração e bons pensamentos, é como se fosse arrebatado por um profeta, dos fortes, por Isaías ou Ezequiel – e então Deus começa a falar-lhe e naquele topo verde se sentam todos os santos e conversam, em estilo apocalíptico, sobre as grandezas e misérias deste mundo.

Tudo isto suponho que aconteça, – embora, se tudo não me aconteceu, naturalmente foi por me faltarem qualidades...

A mim o que me aconteceu não foi tão grandioso, mas foi mais terno, – e considerei-o como um prêmio de alpinismo, melhor que as medalhas de trazer ao peito: por ser de natureza inesquecível, e para usar no coração.

Pois foi só isto: dois meninos que soltavam papagaios. Estavam esses dois meninos felizes como o meu velho mandarim, se bem que não tão gordos, e com um barbante emendado palmo a palmo sustinham no ar, fora do plano terrestre, acima das glórias fúteis da cidade, papagaios roxos e azuis, com bandeirinhas em cima e dos lados, bandeirinhas ao longo da cauda – uma graça de papagaios que os cariocas deviam todos estar de binóculo acompanhando nas suas evoluções.

Imaginei logo esta coisa que me parece encantadora: um morro que vem da terra, que tem seus pés agarrados à lama das valas, às pedras das calçadas, ao duro asfalto lá de longe, dos lugares mais firmes, e vai subindo pelas suas rampas sinuosas e quebradiças, enfeitadas de cabras malhadas e galinhas de pescoço pelado, e atinge o topo verde e plano, feito para os deuses dos pobres se reclinarem nos seus momentos de interesse humano, e afinal se desprende de si mesmo e sobe por um fio, pela mão de um menino, e esse fio se torna uma haste delicada e quase invisível, em que o morro abre a flor do seu papagaio de papel. Flor de papel, é certo, mas feita por meninos, e caminhando para a forma irrevelada de Deus, do Deus que não se reclina no morro, porque se perde em si mesmo, no seu mistério entressonhado e inacessível.

Se estas conjecturas não me fossem recompensa bastante a uma ascensão veloz, sob um sol apenas em declínio, a esse novo Parnaso, onde as musas do samba afinam seus violões e esticam seus tamborins, vejam só o que ainda me disseram: que estes meninos da Mangueira concorreram a dois concursos anuais, em que são premiados os papagaios mais artísticos. E ainda mais: que o último vencedor concorreu com um papagaio formidável – um "papagaio-elefante". Eu nem indaguei se era elefante por grande ou pelo desenho. Desejei mesmo que fosse um elefante-papagaio, subindo do morro da Mangueira pela mão de um meninozinho. Isto me satisfaz completamente, porque eu gosto das atmosferas de milagre, gosto das coisas encantadas, e até quero crer que aquelas crianças saíram de dentro da terra quando eu apareci, e eram feitas do meu mandarim antigo, que repartira com elas seu papagaio complicado, e animara com o vento claro e azul do Brasil o abstrato vento vermelho daquela escova da China...

Rio de Janeiro, *A Manhã*, 16 de dezembro de 1941

O livro e a criança

Recordando as leituras de sua infância, disse Renan:

> O único livro leve que andava em minhas mãos era o *Telêmaco* e, ainda assim, numa edição em que não figurava o episódio de Eucaris, – de modo que só mais tarde vim a conhecer essas duas ou três páginas admiráveis. Tive a sorte de não ver a antiguidade senão através de Telêmaco e o Arístono. Aí foi que aprendi a arte de pintar a natureza com traços morais. Até 1865, não imaginava a ilha de Chio senão por estas três palavras de Fénelon: "a ilha de Chio, afortunada pátria de Homero." Essas três palavras, harmoniosas e rítmicas, me pareciam uma pintura completa, e, embora Homero não tenha nascido em Chio, embora não tenha nascido, talvez, em parte alguma, elas me representavam melhor a bela e agora tão desgraçada ilha grega que todos os amontoados de pequenos traços materiais.

Essa passagem de Renan é preciosa por vários motivos: mostramos o único livro que acompanhava a sua adolescência como leitura amena: permite-nos compreender a sua visão da antiguidade, através uma atmosfera poética; revela-nos o valor dessa leitura, onde o que devia ser um mestre do estilo declara ter aprendido "a pintar a natureza com traços morais" e ainda nos faz sentir a importância da linguagem florida dos artistas, quando nos diz daquela recordação geográfica fixada em sua memória pela evocadora expressão: "afortunada pátria de Homero." Recordação que durou até 1865!

Nem ao menos, nesse valioso trecho, falta o comentário final de que essas três palavras "rítmicas e harmoniosas" eram um retrato melhor da ilha, que todas as descrições abundantes, mesmo mais fiéis, porém desprovidas de tão fino encanto.

Decerto, não se encontra um Renan a cada passo. Não será, pois, a sua experiência facilmente entendida por toda a gente. Mas é muito mais comum do que se pensa encontrarem-se crianças poéticas. Não fosse a corrupção frequente, causada pelos adultos, dever-se-ia mesmo esperar da infância uma poesia absoluta.

É bastante não se ser surdo e ter-se a graça de privar com os pequeninos para se colherem expressões, inquietações, explicações que pertencem ao mundo do sonho, e contêm uma profunda novidade e um divino poder de nascimento.

Uma menina perguntou-me, um dia, por que Deus não fazia árvores azuis. Isso parece uma futilidade, mas envolve uma visão diferente da paisagem. É uma outra paisagem, imaginada, que se faz sensível, e vem pedir à menina as razões de sua impossibilidade.

Li, num poema de certo menino, esta coisa adorável: "dei um salto melancólico."

O adjetivo costuma ser o instrumento do prodígio poético infantil, precisamente porque, por esse caminho, a criança foge à qualificação convencional, e revela sua sensação diferente.

Mas vêm os professores com seu lápis vermelho, e vão acertando os adjetivos, de acordo com a sua razão estereotipada. "Um salto melancólico" – diria um deles sacudindo a cabeça. "Não: um salto pode ser grande ou pequeno, alto ou baixo, certo ou errado... mas melancólico!" Estou vendo o lápis vermelho corrigindo, todo envenenado de raciocínio. Como fazer compreender a um lápis vermelho o conteúdo emocional das coisas?

No entanto, a arte, como diz o meu caro Lin Yutang, não tem outra função mais que ressuscitar a beleza, através dos tempos, dizendo de novo as coisas, mas de outra maneira, para a beleza ser sempre nova e pura como no primeiro dia.

Rio de Janeiro, *A Manhã*, 19 de dezembro de 1941

Parada na Rio-São Paulo

O viajante que hoje passa pela estrada Rio-São Paulo surpreende-se quando, à altura do quilômetro 47, vê despontar, de um lado e de outro, inúmeras edificações, que recordam antigos desenhos do Brasil, com suas paredes claras e róseos telhados de quatro águas destacando-se dos esfumados verdes da mata e das longínquas ondulações das montanhas azuis e acinzentadas.

Pára o viajante, e procura saber que cidade é aquela que nasce de ambos os lados da estrada, e da qual já se sente o traçado de alamedas e jardins, e até se vê brilhar o longo espelho de um lago.

E dizem-lhe que aquilo é o Centro Nacional de Ensino e Pesquisas Agronômicas, iniciado há três anos apenas, contando edifícios imensos, uns completos, outros em via de acabamento, destinados a uma Escola de Agronomia com seus vários departamentos de ensino, distribuídos por diferentes prédios, e institutos de pesquisa, que completarão aquele ensino, pelo estudo de todos os problemas agronômicos, tendo em vista o melhoramento das plantas cultivadas.

A Escola Nacional de Agronomia, até agora instalada na Praia Vermelha, embora superiormente equipada, e contando com um pessoal docente de primeira ordem, padecia da falta de ambiente rural para desenvolvimento de seus trabalhos de investigação prática e direta. Contava apenas com laboratórios, que, mesmo sendo excelentes, não bastam à finalidade da Agronomia, ciência sobretudo de experimentação. Por esse motivo, foi projetada, em ambiente adequado ao desdobramento de todos os seus instintos, a nova Escola Nacional de Agronomia, uma das realizações mais importantes e mais vastas do atual governo.

Se o viajante que passa pela estrada Rio-São Paulo tiver a curiosidade de descer do seu automóvel para contemplar de perto essa obra verdadeiramente grandiosa, verá, primeiro, o esplêndido aproveitamento da região, num plano de jardins e campos experimentais para flores, hortaliças e frutas, e, em torno dos respectivos edifícios, áreas destinadas à criação de diferentes animais, desde os de grande porte, como bois e cavalos, até as abelhas e o bicho-da-seda. E morros, antigamente devastados parcial ou completamente, hoje começam a modificar a paisagem, reflorestados para o estudo da silvicultura.

Voltando os olhos para os edifícios, de nobres linhas e imponentes proporções, o viajante verá, de um lado, os três institutos de pesquisas, o de Meteorologia, o de Ecologia Agrícola e o de Experimentação Agrícola, que se destinam a estudar o clima, o solo e a planta e as relações existentes entre esses três fatores: numerosas construções anexas rodeiam esses três edifícios principais, onde se alojam os serviços auxiliares dos três institutos; – do outro lado, verá o viajante o imenso prédio da Escola, destacando-se entre construções residenciais; o Departamento de Zootecnia, com as construções destinadas a equinos, e uma série de edificações para estudos de avicultura; quatro edifícios para os estudos e a indústria de sericicultura, rodeados do seu amoreiral, com cerca de trinta e cinco mil pés plantados; e a seção de apicultura, com um palácio para as abelhas e instalações para estudos e indústria do mel.

Desse mesmo lado, avista o viajante o edifício do aprendizado agrícola, destinado a filhos de agricultores, internato com uma capacidade de duzentos e cinquenta alunos, cuja finalidade é preparar capatazes, ministrando, com o ensinamento prático da agricultura e da criação, a instrução primária e cívica necessária ao futuro trabalhador rural.

Maravilhado com o espetáculo, continua o viajante o seu caminho: e, procurando informar-se, verá que isso tudo que viu é apenas uma parte do grandioso plano de educação agronômica realizado pelo governo, que a finalidade da obra excede as suas proporções materiais, pois atende a todos os graus de ensino e pesquisas, formando do simples trabalhador até o especialista mais completo. E, como essa obra gigantesca determinará o nascimento de uma verdadeira cidade universitária dedicada à agricultura, realizando essa tão sonhada união da vida rural com as qualidades urbanas úteis ao progresso humano, o viajante põe-se pensativo, e faz intimamente o seu voto para que depressa as plantas cresçam, e os edifícios se completem, e os estudantes e professores iniciem os seus trabalhos nesse maravilhoso ambiente, resumo do Brasil, com todas as suas grandezas, e esperança do Brasil, com todas as suas promessas.

Rio de Janeiro, *A Manhã*, 20 de dezembro de 1941

As "Sete pinturas" de Chang-Wou-Kien

A graça da infância, o mistério dos primeiros anos da vida, quando a criatura ainda não domina a paisagem que habita, nem domina a si mesma, pois tudo são tentativas, descobrimentos, surpresas, – têm inspirado muitos poetas. Os poetas orientais, principalmente, com uma delicadeza inexcedível, têm procurado fixar esses ensaios de acomodação ao mundo que se observa nas cenas infantis – e quem não conhece a maravilhosa "Lua crescente", de Rabindranath Tagore, o imenso poeta hindu, há pouco desaparecido?

Chang-Wou-Kien, poeta chinês dos mais notáveis, traçou sete pequenos quadros onde, como ele diz, "sorri o seu filhinho".

Vemos a primeira tentativa de equilíbrio do menino gordinho e bonito, entre as árvores do jardim:

"Não conseguiu dar os primeiros passos senão com uma laranja em cada mão. Um arbusto resiste melhor ao vento quando carregado de frutos."

A segunda pintura é o anoitecer do menino, tendo nos lábios o resto da sua cantiga:

"Ele canta para adormecer. Sua mãe, inclinada, ralha. Mas ele quer, primeiro, adormecer sua cantiga."

Na terceira, vemos o menino intrigado com o seu brinquedo. Deve estar de cócoras, observando. Depois toma a resolução que lhe parece feliz:

"Acabou por perceber que a sua rã de jade estava perto da porta. Foi prendê-la na gaiola onde gorjeava o passarinho."

Depois, é o impulso heroico do menino diante do perigo: a afirmação dos profundos instintos de vitória do homem sobre os elementos.

"Como as feras da montanha Kao-chan, ele só teme o fogo. A menor brasa assusta-o. Devo dizer que se esforça por assustar a brasa, soltando um rouco rugido."

As crianças têm os seus problemas difíceis: procurar, por exemplo, uma pessoa que saiu. O poeta apresenta o seu menino em tal situação:

"Procura sua mãe, que acaba de sair. Levanta as esteiras. Até no espelho a procura. E põe-se a bater os pés com alegria! Pois é tão parecido com ela que pensa tê-la encontrado dentro do espelho."

Quem não teve um dia nos braços uma criança encantada com um livro de figuras? E quem não sentiu, como o poeta chinês, que as figuras do livro também se encantavam com a criança que as ia contemplando?

"Ele já sabe imitar o latir do cão, o mugir da vaca e o zurrar desordenado do burro. Nas imagens que lhe mostro, sabe também reconhecer esses animais, que designa pelas suas vozes. Ele é tão bonito que os animais, nas gravuras, ficam imóveis."

As "Sete pinturas" de Chang-Wou-Kien terminam com o deslumbramento do poeta pelo seu menino:

> Os viajantes exaltam a beleza de uma tarde de neve em Huachan, a música do sino vesperal do mosteiro de U-tchien, a cor do céu de Tsu-kiang, o encanto de uma noite de chuva em Wao-taí.
> Não irei a Hua-chan, porque o corpo do meu menino é róseo como a neve, ao pôr do sol; nem a U-tchien, porque a sua voz é mais emocionante que o sino de um mosteiro; nem a Tsu-kiang, porque no seu olhar há um céu lavado pela brisa... Mas irei, talvez, a Wao-taí, para evocar certa noite de chuva, em que uma mulher concebeu uma criança que, para mim, é a décima segunda maravilha do Império...

Certamente, nem todos os pais são poetas, nem todos podem dizer as simples coisas encantadoras que um poeta diz. Mas todos os pais deviam cultivar a sua sensibilidade observando o despontar da vida, em seus filhos, o que seria a mais bela e fácil maneira de compreendê-los e amá-los melhor.

As "Sete pinturas" do poeta chinês podem ser multiplicadas ao infinito: em cada movimento, em cada expressão, em cada palavra de uma criança, há revelações delicadas e comoventes.

Mas os homens gostam de ler os jornais, e as mulheres gostam de ir ao cinema – de modo que só mesmo os poetas de certa qualidade e algumas amas ainda se deleitam com a poesia das crianças, nestes amargos tempos em que até as avozinhas desapareceram.

Rio de Janeiro, *A Manhã*, 23 de dezembro de 1941

Meditação em pleno campo

Hoje vi um cavalo. (Grande novidade!, exclamará o leitor impaciente). Vi também uma vaca e uma galinha. Sei que isso, de começo, parece ridículo. Mas não me importo. E se o leitor não for irmão dos animais, como São Francisco de Assis, e não gostar de ouvir falar dos seus parentes, – só me resta pedir-lhe desculpas e aconselhá-lo a mudar de página.

O cavalo que vi não era, na verdade, nenhum animal extraordinário; não era o de Alexandre nem o de Napoleão, não tinha asas, como os das *Mil e uma noites,* nem era gente encantada, como nas histórias maravilhosas, – suponho. Era um cavalinho modesto, sem pretensões a prêmio de corrida. Mas transportava o seu dono, campo fora, com tal ligeireza, tal graça, tal dignidade de fazer bem o serviço, que desafiaria qualquer funcionário de categoria e responsabilidade. Isso foi a primeira coisa que me enterneceu.

Quanto à vaca, movia-se com a majestade de uma rainha gorda pelos imensos verdes, e, de quando em quando, tirava da terra, com um respeito quase místico, a verdura com que elaborar seus plácidos rios de leite. De um leite que, positivamente, não pertenceria ao seu bezerrinho, de um leite que já devia estar vendido para amanhã, para o qual já estava sendo lavado o vasilhame e com o qual já estavam contando os fregueses para a primeira fome matinal. Tornei a enternecer-me com essa obediência à lei das coisas e dos homens, essa predestinação animal tão nobre e tão serena, que o raciocínio não perturba, como acontece com os homens.

E vi uma galinha. Uma galinha que não seria a dos ovos de ouro, mas que anunciava o seu humilde produto com um entusiasmo tão comovente, como os poetas que nos leem, na esquina, o seu último soneto. Glória de realizar! Alegria de ter feito uma coisa qualquer, neste mundo, que excede os nossos próprios limites! Ventura de ter inventado a radiotelegrafia, de ter pintado a Gioconda ou ter contribuído para a existência de uma omelete ou de um pudim! Minha ternura subiu de ponto. Desejei condecorar o cavalo, a galinha e a vaca. Foi assim.

Mas o admirável ainda nesses três bons camaradas é que nem o cavalo projetava dar leite, nem a vaca prometia chocar ovos, nem a galinha era capaz de se oferecer a cavalgar pela verde planície. Cada um estava no seu lugar. E, coisa ainda mais admirável, os seus proprietários – quando os homens tudo deformam – não pareciam também inclinados a promover nenhuma dessas mistificações. Isso me deu também certa ternura pela humanidade, uma ternura provisória, com restrições, porque, afinal, bem pode ser que esses senhores nada fizessem, mas intimamente lamentassem: "Que pena aquela vaca não ser um cavalo!" ou "Que pena aquele cavalo não ser uma vaca!". Dos homens é sempre bom desconfiar, mesmo no meio das montanhas e dos rios, pois Satanás se insinua por toda a parte.

Não digo que a galinha, o cavalo e a vaca fossem casos de vocação profissional... Mas também me fizeram pensar nisso. Pois, refletindo bem, se a minha vizinha da cidade, que leva o ano inteiro tocando o mesmo exercício de piano, sempre com força e errado, se convencesse de que tem bons músculos para encerar a casa e lavrar a terra, mas nenhum talento para fazer música, não somente a vizinhança toda descansaria de uma grande tortura, como se enriqueceria o mundo com uma atividade útil.

Outro tanto aconteceria com um jovem que pinta quadros, e tem tanto conhecimento de tintas e tal negação para a arte que devia ser tintureiro, mas sem fazer paisagens nem sequer na roupa dos fregueses...

Foi isto o que pensei esta manhã, vendo a galinha, o cavalo e a vaca. Uma galinha que punha ovo, um cavalo que trotava bem e uma vaca pronta para encher um balde de leite.

Se o leitor não gostou da crônica, não tenho culpa. Olhe que não é qualquer pessoa, nem todos os dias, que pode fazer estas considerações, vendo apenas um cavalo, uma vaca e uma galinha...

Rio de Janeiro, *A Manhã*, 30 de dezembro de 1941

O tatu e o pinto

Não vou contar uma fábula. É que agora ando pelo mato, e todos os dias vejo bichos. Podia ser pior: podia ver fantasmas. Os fantasmas, porém, não me aparecem: não encontro almas do outro mundo nem lobisomens, nem curupiras. Hoje, o que vi foi um tatu e um pinto. O tatu estava num jardim grande de casa escondida entre altos pinheiros. A casa, que era suntuosa, desaparecia; desapareciam as belas árvores; até as flores passavam a ter uma importância de fundo de quadro. O primeiro plano era ocupado por um menino que sorria, de cócoras, brincando com um tatuzinho novo, um tatu cor de pérola, que se movia com grande elegância nas suas escamas de prata e rosa.

O pinto andava pela rua, vadiando. E a menina loura, de laçarote no cabelo, que acabava de tomar banho, e estreava, talvez, o seu vestidinho de riscas azuis, esforçava-se por conduzi-lo ao bom caminho da casa paterna, enquanto o bichinho, de pescoço estendido, na sua fuga de filho pródigo, ameaçava atravessar toda a cidade, ir fundar impérios distantes, cantar na crista da montanha, viajar em companhia do sol.

E a menina de voz docinha chamava por ele, ia atrás dele, contando-lhe coisas, atraindo-o para o caminho seguro da família, para o conforto do lar, seduzindo o aventureiro andarilho, opondo o seu bom senso de menina, conservador e estável, ao instinto nômade e desabusado do pintinho travesso. Pensando bem, era uma luta de filosofias.

O tatu e o pinto recordaram-me cenas infantis deixadas nos Estados Unidos, onde, em maravilhosos cenários de jardins floridos, vi meninos e meninas encantados com os bichinhos a que se dedicavam: um possuía uma coleção de tartaruguinhas, de tamanhos sucessivos, que podiam ser armadas como uma torre, no gosto oriental de certas esculturas de marfim. Outro, ocupava-se em criar cães, e tinha a sua biblioteca sobre o assunto, e lia artigos, e possivelmente pertencia a algum clube especializado na matéria. Muitas crianças têm um gato ou uma cabrinha, de que cuidam com interesse e carinho. Outras têm um cavalo que não serve apenas para as transportar em seus passeios, mas do qual se fazem verdadeiramente amigas. E as galinhas, os patos, os coelhos são brinquedos vivos integrados no mundo das crianças como elementos de sua alegria e, ao mesmo tempo, fatores de sua educação.

Tratar de um animalzinho envolve grande responsabilidade da parte da criança: ao lado do estímulo que isso traz aos seus sentimentos, há que considerar a necessidade de conhecê-lo, em seus hábitos e sua vida, a fim de conduzir o tratamento de maneira adequada; e isso representa um apreciável estudo da natureza, da zoologia, com inúmeras consequências, todas elas de utilidade para o homem.

A observação dos animais não leva apenas a uma natural conclusão sobre muitos fatos da vida humana, mais fáceis de explicar, e com mais pureza, por esse meio. Envolve também uma interpretação de caracteres, como se pode ver pela obra deliciosa e eterna realizada pelos fabulistas.

Existem animais espertos, graciosos, vaidosos, apáticos, insolentes, estúpidos, amáveis, inteligentes, caprichosos, graves, preguiçosos, frívolos, – exatamente como no gênero humano. E, se considerados isoladamente, eles nos oferecem esse definido aspecto da sua personalidade – por assim dizer – na sua vida social apresentam outros exemplos, cheios de ensinamentos valiosos.

O convívio dos animais ensina à criança muita coisa que ela dificilmente aprenderia de outro modo, e familiariza-a com o ambiente humano antes de experiências mais diretas. Por isso vemos tantos rústicos pensarem com uma graça e uma profundidade que nos surpreendem. Não tiveram muitos contatos com os homens. Não leram livros. Aquilo lhes veio como aquisição natural, tratando dos animais, sempre considerados tão nossos parentes que até se diz que antigamente falavam, e muitos povos creem que os animais primeiro foram gente.

Eu não sei por quê, em lugar de locomotivas, cruzadores, tanques, espingardas, não se oferecem às crianças, pelo Natal, bichinhos vivos, pintinhos, carneirinhos, cachorrinhos, patinhos...

Quando o Menino Jesus nasceu, como todos os anos vejo nos presépios, foi isso que os pastores levaram: bichinhos para o Menino brincar. Sem falar que o burro e a vaquinha eram duas figuras imponentes, no cenário.

Bem sei que os reis lhe levaram ouro, incenso e mirra. Mas eram reis do Oriente, muito simbolistas, acostumados a tributos complicados. Os pastores, esses eram gente da terra. Simples e naturais.

Rio de Janeiro, *A Manhã*, 31 de dezembro de 1941

Eles e nós

Sinto-me sempre com boa disposição para falar dos animais, primeiro porque eles já perderam a fala há muitos séculos, com exceção do papagaio, que se automatizou –, desse modo, não podem fazer discursos nem escrever nos jornais. Além disso, a não ser o canário, que é um bicho de cassino, um bicho sofisticado, não sei de outros que se comuniquem claramente com o homem. Portanto, ninguém pode imaginar que eu esteja advogando a causa de clientes, com artigos encomendados, como é vício da humanidade.

Quando leio pelas revistas ou nos bancos das praças: "Fazer mal aos animais é indício de mau caráter", sinto uma certa ternura pela pessoa que pensou essa sentença, e pela que a imprimiu ou pintou. Mas já visitei um matadouro, já vi magarefes sem nenhuma noção de eutanásia, e, quando me lembro disso, torno a recolher a minha ternura, muito triste por assim ver desaproveitada.

Quem quiser ver como o amor humano é uma coisa interesseira, basta ouvir uma pessoa queixar-se do boi velho, que já não puxa mais carro, ou do gato caduco, que não caça mais ratos. Tenha o leitor a bondade de se colocar no lugar do rato ou do boi – salvo seja – e verá como é melancólico ouvir-se uma coisa dessas.

E pensar que há gente que vive toda a vida do trabalho de um animal, como este charreteiro com que estive conversando e que me declarou gostar tanto do cavalo da sua charrete que não o venderia nem por um conto de réis. Procurei saber a causa de tão entranhado amor. E a causa era ser o bichinho tão esperto e saudável que trabalha o dia inteiro puxando três pessoas para cá e para lá, subindo e descendo, entrando pelo mato e chapinhando na lama, suando com o sol e molhando-se com a chuva.

O espírito de Henry Bergh apoderou-se de mim. Desejei ser esse homem valente e sem medo do ridículo, que fazia parar carros superlotados, no tempo da tração animal, para evitar aos cavalos um trabalho que excedia as suas forças. Desejei proibir ao charreteiro esse abuso de serviço de um cavalinho que, além de ser alto e simpático, ainda se chamava "Moreno"!

"Às vezes" – disse-me ele – "faz oitenta mil-réis por dia!" Esse foi o elogio do patrão ao bichinho que trotava com a maior diligência.

O espírito de Henry Bergh agitava-se dentro da minha vil carcaça. Comecei a examinar o cavalinho trabalhador: felizmente não lhe encontrei nenhum arranho no pescoço e nenhuma ferida nas pernas. Estava limpo e bem nutrido. Mas o seu patrão, repimpado na boleia, de boné de banda e paletó de casemira, se esforçava muito menos que ele, cujas patas escolhiam o caminho com todo o cuidado para mais de duzentos quilos que o seu lombo ia puxando...

Se o charreteiro tivesse estalado o chicote no nosso companheiro, creio que o espírito de Henry Bergh me faria pular para o chão e fazer um discurso em plena mata. Mas o homem ou era mesmo de boa índole ou sentia a influência do espírito que eu ia carregando. Estalava o chicotinho no ar. Na verdade, o bichinho não precisava nem desse estímulo. Era um animal trabalhador, acostumado a fazer todos os dias tantos quilômetros como eu faço neste artigo, e com a superioridade de não assinar ponto em repartição nem inicial nenhuma no fim do caminho...

Todo o dia pensei em Henry Bergh, na obra formidável de proteção dos animais, que é uma forma de educação necessária a todos, porque todos, de um modo ou de outro, sempre temos de tratar com esses nossos companheiros, irmãos e amigos.

Lembrei-me de certas escolas em que, para sustentar uns horríveis museus de História Natural, se inculca na criança o hábito de caçar passarinhos e borboletas. Passarinhos e borboletas só têm expressão vivos e em movimento. Que grandes descobertas científicas se vão fazer numa escola primária, capazes de justificar essa barbaridade? Que os etimologistas e ornitologistas se encarreguem disso está muito bem – a ação se justifica pelos resultados de seus estudos. Mas as crianças devem aprender a olhar com encanto para essas escolas cheias de beleza, lembrando o preceito do poeta persa: "Quando vires uma formiga arrastando o seu grão de trigo, não lhe toques, porque ela vive – e a vida é uma coisa maravilhosa..."

Estas e outras coisas me ocorreram, a propósito do cavalo "Moreno", simpático. E muitas outras coisas poderia dizer, se pertencesse à Sociedade Protetora dos Animais, que Henry Bergh fundou. Mas, ao contrário daquela personagem do Eça, eu nem chego a pertencer ao número dos "proprietários".

Rio de Janeiro, *A Manhã*, 3 de janeiro de 1942

Turismo e educação profissional

Chegará um dia em que os turistas que vierem ao Brasil, ou qualquer brasileiro que se deslocar de um ponto para outro do país, não terão apenas diante de si, sobre o fundo decorativo das nossas matas e cachoeiras, dos nossos rios e serras (como se diz nos discursos) a fauna exótica dos hotéis, de calças, turbantes e óculos pretos, montada em cavalos e bicicletas, enfastiando-se com prazer e luxo, de acordo com as determinações do calendário.

Chegará um dia em que os turistas e veranistas encontrarão nas nossas maravilhosas cidades de veraneio outras coisas nas vitrinas que não sejam chocolate e balas de goma.

Chegará um dia em que as diversas habilidades regionais serão aproveitadas sabiamente, e cada cidade apresentará aos viajantes um atrativo que a caracterizará, constituindo ao mesmo tempo um motivo de alegria e uma fonte de bem-estar para os seus habitantes.

Não serão as nossas exclamações apenas para as belezas naturais, mas para o trabalho humano. Ao descermos do trem, do automóvel ou do avião, seremos solicitados por produtos curiosos e interessantes; doces, rendas, cestas, bonecas – pequenas coisas que estimulam a atividade artística de uma população, sendo, ao mesmo tempo, lembrança inesquecível para o passante.

Quem viajou por Portugal sabe, por exemplo, a nostalgia com que se recordam os pregões dos caminhos de ferro, em estações onde vendedores e vendedoras oferecem suas especialidades: as arrufadas de Coimbra, os ovos moles de Aveiro que se compram da janela do trem constituem um dos encantos do percurso. Todos sabem o que é parar o automóvel em Sintra para comprar um pacote de queijadinhas, ou deter-se à porta de certa casa dos arredores de Nazaré para apanhar umas caixinhas de pão de ló. Isto sem falar das cerâmicas ingênuas de Viseu, dos panos de Alcobaça, dos bordados de Viana do Castelo, das filigranas do Porto, de tantas outras coisas de outros sítios!

Quem viaja gosta de trazer pequenas recordações dos seus passeios: uma renda que se compra a uma velhinha; uns chinelos bordados que vimos oscilar em certa porta de loja; um anel acabado de fazer diante de nós, por uma tosca mão cheia de sonho – são pequenas coisas sagradas que não usamos: ficam em redor de nós para nos recordarem o sol de uma tarde antiga, o sorriso de uma mulher de aldeia, os votos sobre a nossa cabeça por uma felicidade completa e imortal...

Hoje quem salta na Bahia quer provar pelo menos um vatapá ou uma moqueca; se vai ao Rio Grande do Sul, quer comprar uma cuia e sorver um chimarrão; quem chega ao Ceará quer rendas, lencinhos e rapaduras e redes e esteiras. Mas quem vai a uma cidade de verão fica de nariz no ar, lendo com cara de bobo os nomes das lojas. Não há nada em que gastar dinheiro: farmácia, armarinho, café, quitanda... A farmácia é igualzinha às outras, nem ao menos tem remédios esquisitos para espinhela caída ou tosse de cachorro. O armarinho é de turco, com camisas de meia e bonecos de celuloide. O café é mal torrado. A quitanda tem banana verde e goiaba podre...

Chegará um dia em que haverá bolinhos de milho, cuscuz, mãe-benta, doce de qualquer coisa pelas cidades de verão – de qualquer coisa brasileira: mariola de capote, pamonha, cocada preta...

As moças saberão fazer um trabalho de agulha, meu Deus! Uma almofada com letreiros caprichados: "Deus te guie", "Saudades da serra", "Lembranças do verão". Farão flores de papel ou de penas, e caixinhas de conchas ou de sementes, como as nossas avós, tudo bem horrível e bem delicioso.

Alguém se lembrará de apregoar roletes de cana, milho cozido, melado, rapadura, coco-de-catarro, manga, caju, pitangas...

Aparecerão chapéus de palha para os excursionistas, lenços coloridos, rebenques tão bonitos que ninguém os utilizará nos cavalos...

Os hotéis não terão apenas esses postais sem graça que hoje se encontram, mas coisas agradáveis: tipos locais, frases populares, desenhos sugestivos. Estou pensando naqueles postais de beira rendada com flores de cetim estufado e amabilidades em letras douradas: "Amor com amor se paga", "Jamais te esquecerei", "Sou todo teu"...

Apenas, essas coisas não se conseguem de hoje para amanhã, com a simples publicação deste artigo... Antes fosse assim! É necessário que o turismo e a educação profissional trabalhem no mesmo sentido; que haja um propósito de realizações, e esse propósito se firme.

Nesse dia, todos viajaremos muito mais, e a monotonia dos hotéis será dissipada pelo encanto popular que dá alma a cada sítio, e deixa saudade em cada coração.

Rio de Janeiro, *A Manhã*, 4 de janeiro de 1942

Educação urbanística

O viajante que vai por este mundo fora percorre primeiro, com os olhos, os lugares por onde depois caminhará. As verdes florestas, as altas montanhas, as margens dos rios, antes de serem sítios de passeios e excursões, vivem como panorama, cenários contemplados de longe, conjunto que se recebe de uma só vez, como impressão.

As cidades, também, antes de serem conhecidas em seus detalhes, antes de nos revelarem onde vivem os seus habitantes, onde se abrigam os enfermos e os mortos, onde se compra e onde se vende, onde se trabalha e onde se brinca, apresentam-se com cor e forma, desenho de ruas, praças, jardins, muros, grades, paredes, escadas, telhados, chaminés.

Há cidades que nascem ao acaso, porque uma pousada se multiplica em muitas pousadas, uma loja se multiplica em muitas lojas, em redor de um mosteiro, de uma fortaleza, de um colégio, ou à beira de uma estrada, ou à margem de um rio, ou perto do mar.

Casos interessantíssimos existem, de cidades assim aparecidas, pelas quais se podem reconstituir episódios históricos, e ler nos arruamentos e nas construções como quem está diante de um livro aberto.

A vida moderna, porém, não permite mais, nem às cidades, nascerem com essa tranquilidade dos bons tempos de antanho, de que fala o otimismo retrospectivo dos poetas. As cidades têm de ser pensadas, são criações do raciocínio, antes mesmo de serem construções de beleza. Possuem uma beleza lógica, porque não são arte pura, mas arte interessada. Interessada em comodidade, em conforto, em rapidez, em higiene. Obediência ao clima, ao solo, à orientação, às necessidades: transportes, mercado, culto, divertimentos, saúde, instrução.

Mas, além de ser útil, devendo a cidade ser bela, para satisfazer esse instinto de harmonia indestrutível no homem, apesar de suas perversidades, – não só o seu plano deve servir a todas as exigências da vida, mas completar-se com esses fatores que, sendo dispensáveis, são, no entanto, essenciais: os fatores estéticos, de tanta influência na felicidade humana.

Ver-se nascer uma cidade desatenta ao seu destino e à sua forma é coisa que penaliza a quem vai pelo mundo fora procurando entender e explicar a vida.

Aqui estou, entre as pedras do campo, mirando as construções rurais que põem manchas claras no verdume da mata e das montanhas. Vejo as construções antigas, tão sóbrias, na sua arquitetura avoenga de paredes grossas e janelas simples. Grandes árvores lhes sombreiam os velhos telhados, escurecidos e serenos. O verde-claro das bananeiras enfeita com uma brisa alegre a larga varanda. Pequenas flores se entrelaçam aos raios de sol, pelos muros e pelas cercas. Sombra e luz, ares, plantas, extensões vazias, recantos silenciosos, movimento de pássaros e insetos que aparecem e desaparecem – tudo isso faz das velhas casas um ambiente de tranquilidade e sonho: refúgio humano na grandeza da paisagem, majestosa e boa.

Volto os olhos para as casas novas, colocadas pelo capricho de seus donos acima e abaixo, na encosta da montanha: telhados esquisitos, fachadas espantosas, feitios tão cheios de complicações que é uma fadiga contemplá-las... Aqui já não estão mais as grandes árvores de sombra e fruta, com ninhos de passarinhos e balanços para as crianças. Aqui as plantas são como as senhoras tratadas em institutos de beleza: sujeitas à força da moda, e com toda a naturalidade perdida. Aqui as plantas mutiladas viram compoteiras, boiões de farmácia, cartolas, cubos, peças de xadrez...

As casas parecem bolos secando ao sol: uma criança imaginativa ficaria sonhando com chocolate torneado, pinhas de geleia, barras de goiabada, diante das suas cores e dos seus desenhos que os cavalos e as vacas miram com displicência.

Agora avisto um castelo. Um castelo medieval novinho em folha, como os móveis de D. João V da rua do Catete... Gostaria de ver a castelã, que talvez esteja no torreão tomando chá com sanduíches... Deve ser uma castelã de *playsuit*, que acaba de jogar um bocado de tênis...

Ah! Se eu fosse arquiteto! Morria de fome, naturalmente; mas não deixaria que esta loucura urbanística se generalizasse... Porque a vida do homem se modela de acordo com o seu ambiente, e o homem nascido nesta paisagem robusta e simples não deveria ser vitimado por esta arquitetura histérica, frívola e ridícula que imprime à grande paz do campo seu sorriso caricato e artificial – máscara idiota num rosto sereno e eterno.

Rio de Janeiro, *A Manhã*, 7 de janeiro de 1942

O livro e a roça

Ler é uma coisa muito importante nos Estados Unidos, por exemplo. Pois, se uma pessoa não souber ler, como pode escolher o que vai comprar, e abrir uma lata de salsichas ou de pílulas laxativas, e encostar o seu automóvel ou o seu caminhão numa rua da cidade, e fazer uma panqueca ou lavar uma camisa? Tudo nos Estados Unidos é escrito: há letreiros na beira das calçadas, cartazes pelas estradas, anúncios e avisos luminosos por cima das cidades, inscrições nos bancos, nas portas, nas paredes, nas vidraças, dentro dos ônibus, até em volta dos copos, e às vezes no peito das pessoas. Já estive numa reunião em que os convidados traziam o cartão de visita pregado no lugar dos broches e dos cravos, o que me pareceu uma coisa natural, e prática, pois o nome que nós usamos é, na verdade, o nosso rótulo, como o de um xarope, de uma cerveja ou de um perfume...

Nos Estados Unidos, deve ser uma desgraça absoluta não saber ler. Maior do que essa só a de não ter dinheiro. Pois a vida americana está toda escrita em cartões, talões, selos, discos – e quando se escolhe roupa, lê-se a etiqueta de garantia; e quando se compra remédio, lê-se tudo: desde a maneira de abrir o frasco até a história da evolução da medicina; e quando se quer acender o fogo ou fazer funcionar uma das infinitas máquinas em uso, precisa-se saber ler a palavra mágica que faz andar e a que faz parar, e todas as outras intermediárias, que graduam o poder daquelas deliciosas feras de aço.

Nos Estados Unidos, eu compreendo que o livro seja uma coisa importantíssima – não à maneira latina, mas à maneira americana: como fonte de indicações úteis. Todo o país é, na verdade, um livro imenso, ou uma enciclopédia, de folhas esparsas, de linhas esparsas, que se vão juntando para o bom desempenho da função de viver.

Mas aqui na roça, onde em matéria de letreiros luminosos há somente vaga-lumes, estrelas, lua, sol – onde os cartazes das estradas são as plantações de milho, os berros das cabras, o relinchar dos cavalos – onde o remédio é benzedura e cozimento de planta – aqui eu acho que alguma coisa devia existir, antes do livro, para que ele não se converta num trambolho inútil ou prejudicial.

O primeiro livro da roça devia ser a natureza. O homem do mato devia aprender a conhecer e a amar e a tirar proveito das coisas que o cercam, antes de saber escrever nomes de coisas impossíveis ou distantes, que nunca viu e que nunca possuirá.

O homem da roça devia saber plantar e colher, criar animais, cuidar da sua saúde, melhorar a sua casa; e a mulher devia saber cozinhar, lavar roupa, tomar banho, cuidar dos filhos, pregar botões – coisas de necessidade imediata, inadiáveis, práticas, vitais.

A gente da cidade acha tudo isso banal e torce o nariz. Parte-se do princípio de que o homem da roça já sabe essas coisas. E então [...], dizem-se coisas bonitas, com adjetivos brilhantes, como se o mato fosse uma região da mitologia, e, os matutos, heróis e semideuses.

Mas não é assim, não. Toma-se um trenzinho qualquer e daqui a quinze minutos já tudo é diferente do que a cidade imagina.

Às vezes, nem se precisa tomar trem, o bonde basta...

A moça fica o dia inteiro olhando para a rua, com a roupa despencada. O menino está nuzinho, de nariz escorrendo, soltando papagaio... O homem, de espinhela caída, ou de braço na tipoia, está esperando o compadre que vai chegar com um defumador... A terra está endurecendo, em volta, com as plantinhas que nem os bichos comem...

Para que saber ler, com uma vida dessas? E as coisas preliminares não é preciso aprender em livro...

O livro da roça tem de ser um livro vivo: um professor que ame o campo e a sua gente, e seja, para ela, um guia, um conselheiro, um médico, um enfermeiro, um pai.

A instrução, na roça, não pode ser nem burocracia nem comércio. Tem de ser uma obra comovida de amor. De amor e de paciência, porque o pobre desconfia de tudo, mesmo do bem que se lhe pretende fazer.

Rio de Janeiro, *A Manhã*, 8 de janeiro de 1942

Educação doméstica

Os pequenos aspectos da vida – se é que a vida tem pequenos aspectos – não costumam ser tratados publicamente com grande frequência. No entanto, é de muitos deles que dependem grandes coisas, como no caso do nariz de Cleópatra.

Andamos todos nervosos, impacientes, aborrecidos – e muitos pensam que são efeitos das manchas solares ou dos telegramas internacionais, mas eu, com as minhas ideias de Sancho, creio mais modestamente que os criados é que nos andam pondo assim.

Aliás, os criados como o referido Sancho ou deixaram de existir completamente, ou se esconderam bem escondidos. Aquele tinha um bom senso pançudo, que era o precioso contrapeso das alucinações do amo. Os criados de hoje são geralmente a causa das nossas alucinações.

Não nos resta senão aumentar em bom senso, para lhes servir de contrapeso. É o que fazia Machado de Assis quando, verificada a inutilidade da esperança de encontrar um criado melhor, se limitava apenas a ir mudando o nome do que tinha... É o que fez um dia Sacha Guitry, explicando ao seu as comodidades da mala recém-adquirida: "Há lugar para tudo: para isto, para aquilo, para as 'nossas' gravatas etc."

Infelizmente, não creio que essa espirituosa paciência tenha uma duração interminável. Por outro lado, não me parece de resultados proveitosos no melhoramento da classe. Coloco, pois, o problema, como todos os outros, nessa vastíssima zona da educação, tão cheia de responsabilidades e tão vazia de responsáveis.

O criado brasileiro é um trabalhador improvisado, de quem se exigem coisas que não conhece, porque não aprendeu. Considerado de um certo ponto de vista, com isenção e largueza, é uma vítima ainda maior que o patrão.

O patrão é uma grande vítima que, no fim de cada mês, tem uma lista de prejuízos consideráveis e irritantes. Mas não é menor vítima o criado que trabalha sem prazer, sem sensibilidade, reconhecendo, afinal, seus diários desastres, e, apesar de tudo, necessitando manter-se no serviço, por essa elementar obediência à dura lei de viver.

Não há trabalho bem realizado se o trabalhador não está contente, e não há contentamento possível quando se é obrigado a fazer uma coisa que não se sabe.

E por que há de ser o criado entendido no seu ofício, uma vez que não o aprendeu? Seria já um abuso do patrão admitir que todos precisamos estudar para saber, e só o criado tem o dever de ser exceção.

É preciso reconhecer que o criado vem de um meio humilde, e muitas coisas que encontra, na casa em que trabalha, são novidades surpreendentes e um pouco assustadoras. Para uma pessoa acostumada a coar o seu cafezinho num saco de pano, um *percolator* americano, fazendo circular a água, magicamente, é uma espécie de demônio elétrico, que perturba o neófito...

Não há, também, uma suficiente educação dos sentidos: o tato de quem sempre se serve de objetos grossos e resistentes não está educado para manusear cristais e porcelanas.

Há falta de noção justa das coisas: a ideia de limpeza é muito relativa, conforme o ambiente em que se foi criado; e o que é necessidade imperiosa para uns é luxo ou mania para outros...

Mas outro dia eu vi uma criada ter medo de presunto, e outra dizer que as passas do Natal eram "uvas velhas"...

Porque só há duas maneiras de aprender as coisas: ou pela tradição ou pela escola. A tradição, desgraçadamente, está agonizante. Por isto ou por aquilo, ninguém mais quer perder tempo em ensinar às empregadas como devem fazer o serviço. E a escola... – que faz a escola, com tão largos programas, com tantos anos de estudo, com tanto método velho e novo, com tanta coisa complicada e afinal tão poucas coisas realmente úteis?

Afinal de contas, nem todos os criados são analfabetos. Mas a escola onde aprenderam a ler e a escrever não lhes deu essa educação elementar que consiste em distinguir o sujo do limpo, o grande do pequeno, o pesado do leve, o branco do preto, o doce do salgado, o claro do escuro, o alto do baixo. E, considerando bem, não só os criados, mas também todos nós dependemos de tudo isso muito mais que das guerras púnicas e dos rios da Ásia.

E essa educação ou se adquire na infância ou não se adquire mais. É a própria formação da criatura que se vai modelando com essa estrutura aparentemente simples, mas sem a qual não lhe é possível ter o sentimento mais ou menos exato de si mesmo e do mundo em que se move.

Enquanto a educação não se interessar por essas pequenas coisas essenciais, não teremos criados nem patrões, não teremos nada senão aborrecimentos domésticos, neurastenias, desequilíbrios, e são essas coisas que fazem as guerras, – esses monstros que todos abominam depois de grandes, mas que nem todos evitam, quando talvez os pudessem evitar.

Rio de Janeiro, *A Manhã*, 9 de janeiro de 1942

Fábulas

Quando, no século 17, La Fontaine ofereceu ao Delfim de França a maravilhosa coleção de suas fábulas, começou por explicar que, verdadeiramente, aquele tesouro não lhe pertencia. Evocou a lendária figura do aleijado de Esopo, escravo em Atenas e Samos, a quem atribuiu a criação de tantas e tão engenhosas histórias, impregnadas de ensinamentos morais. Esse misterioso autor, cuja vida parece uma outra fábula, seria, segundo La Fontaine, um pedagogo amável, conduzindo seus discípulos e iniciando-os na vida por meio desses exemplos sábios e sutis.

Nem se esquece de uma citação importante: que Platão, se havia banido Homero da sua República, reservara a Esopo um lugar muito honroso, desejando ver as crianças sugar suas fábulas com o leite, recomendando às amas que as transmitissem, porque cedo convém que nos familiarizemos com a sabedoria e a virtude. E também porque melhor do que corrigir os nossos hábitos é procurar torná-los bons quando ainda se encontram em estado de indiferença ao bem e ao mal.

A citação de La Fontaine envolve todo um conceito pedagógico a respeito do valor das fábulas em educação. Conceito que ele confirma, acrescentando encerrarem matéria instrutiva, como, por exemplo, as propriedades dos animais e seus caracteres, de onde se podem deduzir as propriedades e os caracteres humanos, uma vez que o autor acredita sermos "um resumo do que há de bom e mal nas criaturas irracionais".

La Fontaine tinha um propósito bem claro, oferecendo as fábulas ao Delfim. Julgava-as "um entretenimento conveniente aos seus tenros anos", e, parecendo-lhe que entre os seus jogos e divertimentos devem figurar alguns pensamentos sérios, é nas fábulas que lhes pretende oferecer: "nas fábulas que devemos a Esopo. Sua aparência é pueril, confesso-o; mas essas puerilidades servem de envoltório a importantes verdades."

E, ainda na dedicatória, esse homem já bem vivido, embora docemente ingênuo, mostrava sentir que as fábulas serviriam ao Delfim, para lhe "ensinar sem pena, ou, melhor, com prazer, tudo quanto é necessário que um príncipe saiba" – preceito de educação amena exposto de tão longa data.

Se é verdade que La Fontaine não pretendia senão enfeitar as fábulas atribuídas a Esopo com "o ornamento da poesia", também é certo que o escravo grego não foi o criador das quatrocentas e tantas histórias que aparecem ligadas ao seu nome, mas seu hábil compilador. A fábula, velha invenção de todos os povos, em todos os lugares da terra, foi sempre a forma predileta de transmissão do ensinamento moral, e não é de estranhar que se encontrem coincidências surpreendentes a imensas distâncias no espaço e no tempo, – lei que regula o espontâneo aparecimento ou a aclimatação de formações análogas onde quer que se desenvolva a vida humana, com suas observações e experiências.

Não é, porém, da origem e disseminação da fábula que queremos falar, mas da sua utilidade em educação.

Com todos os exemplos práticos do seu emprego, da sua utilização como transmissora figurada e plástica de conselhos, exemplos, interdições, críticas e instrução, a fábula chega ao século 17 enfeitada com brilho e elegância pela mão de La Fontaine, que a conduz ao próprio príncipe.

Um século depois, Rousseau, preocupado com a formação perfeita do homem, estudando no *Emilio* a maneira de educar sem perturbar a natureza, iria condenar as fábulas como leitura infantil, alegando que "o apólogo; divertido, engana; seduzida pela mentira, a criança deixa escapar a verdade; e o que se faz para lhe tornar a instrução agradável serve para lhe impedir o aproveitamento".

Com o seu ódio ao livro, velha reminiscência, talvez, das leituras romanescas dos seus sete anos, cujas impressões e influências bizarras ele mesmo confessava não ter podido dissipar nem com a experiência nem com a reflexão, Rousseau investe contra a fábula como leitura infantil, afirmando: "pode servir de instrução aos homens; mas às crianças é preciso dizer a verdade nua, pois, desde que ela se apresenta velada, elas não se dão ao trabalho de a descobrir."

Curioso nesses dois pontos de vista é continuarem na ordem do dia, baseados na mesma argumentação. De um lado, os partidários do ensino alegórico, de imaginação, conservando uma verdade profunda e fácil de alcançar sob o seu disfarce. De outro, os inimigos do artifício, crendo apenas na verdade, poderosa e acessível, e no seu poder de contato com a criança, em qualquer idade.

Este é apenas um ponto de divergência entre educadores. Quase todos os outros são muito mais graves...

Rio de Janeiro, *A Manhã*, 13 de janeiro de 1942

Biografias

É muito conhecida a passagem de Montaigne sobre Plutarco: "Em matéria de livros, a história é a minha predileção. Os historiadores são a minha especialidade, principalmente os que se interessam mais pelos conselhos que pelos fatos, mais pelo que vem de dentro do que pelo que se passa por fora. Essa é a razão de ser Plutarco o meu autor preferido."

Realmente, quem está familiarizado com a obra do sutil ensaísta do século 16 encontra, em cada página, em cada capítulo, a revivescência histórica, procedente quase sempre daquele admirado autor aparecido no primeiro século da era cristã.

E tão acostumado estava mestre Montaigne a esse convívio com gente ida, a essa prática com "os homens que vivem apenas na memória dos livros", que as celebridades mortas e remortas vêm despertar seus ensinamentos através de toda a sua obra, e ele, não contente com a sua fruição e o seu proveito, aconselha a leitura das *Vidas de Plutarco* como de utilidade para esse "estudo de fruto inestimável" que vem a ser a frequência das "grandes almas dos melhores séculos".

Nessa admiração pelo venerável autor grego, Rousseau se encontraria com Montaigne. O ácido filósofo, cansado dos artifícios do mundo, sedento da novidade eterna da natureza, lembrava a leitura histórica como um meio capaz de apresentar ao estudante a verdadeira face humana. A humanidade assim contemplada de longe proporcionaria uma espécie de espetáculo a distância, noutros tempos e noutros lugares, cujas cenas podem ser vistas, mas em cujo cenário já não se pode agir.

> Para conhecer os homens, dizia ele, é necessário vê-los em ação. No mundo, ouvimos as suas palavras: apresentam-nos seus discursos mas escondem-nos suas ações, que só a história descobre, permitindo-nos julgá-los de acordo com os fatos. Mesmo os seus propósitos nos ajudam a apreciá-los, pois, comparando o que fazem com o que dizem, vemos simultaneamente o que são e o que querem parecer; quanto mais se disfarçam, melhor se revelam.

Ao considerar, porém, os historiadores mais convenientes para a leitura dos adolescentes, Rousseau faz uma rápida seleção dos clássicos: Políbio e Salústio não seriam escolhidos; Tácito é livro para gente velha, os rapazes não o entenderiam; – e a razão principal vem aqui:

> é preciso ensinar a ver, nas ações humanas, os primeiros rasgos do coração, antes de lhe sondar as profundidades. É preciso saber ler nos fatos, antes de ler nas máximas. A filosofia das máximas convém apenas aos que já possuem experiência. A juventude não deve generalizar nada: toda a sua instrução deve ser em regras particulares.

A crítica prossegue, com Tucídides, de quem diz Rousseau:

> É o verdadeiro modelo do historiador. Relata os fatos sem os julgar; mas não omite nenhuma das circunstâncias que nos permitiriam um julgamento próprio. Coloca tudo que conta sob os olhos do leitor; ao invés de se interpor ao leitor e aos acontecimentos, desaparece. Não se tem a impressão de estar lendo, mas de estar vendo. Desgraçadamente, fala sempre de guerra, e quase não se vê, nas suas narrativas, senão a coisa menos instrutiva do mundo, que vêm a ser os combates. A *Retirada dos dez mil* e os *Comentários*, de César, têm, mais ou menos, as mesmas qualidades e os mesmos defeitos.

Chega a vez de Heródoto.

> Sem retratos, sem máximas, fluente, ingênuo, repleto de minúcias capazes de interessar e agradar, seria o melhor dos historiadores, se essas mesmas minúcias não degenerassem frequentemente em puerilidades, mais aptas a estragar que a formar o gosto juvenil. É necessário já ter discernimento, para aproveitar com a sua leitura.

Quanto a Tito Lívio, "é político, retórico – tudo que não convém a essa idade".

Com a sua agudíssima visão, Rousseau não deixa de perceber que a história fixa datas e fatos capitais, que não acompanha a evolução das causas, e apresenta os personagens como atores teatrais, em felizes lances dramáticos.

E assim se volta para Plutarco, e para as biografias: "Preferiria a leitura das vidas particulares, para começar o estudo do coração humano, porque então por mais que o homem se esconda, o historiador o persegue por toda parte, não lhe dá quartel, não lhe permite nenhum esconderijo onde se livre do espectador..." E faz sua a frase de Montaigne: "Em matéria de livros, a história é a minha predileção..." E logo a apologia de Plutarco.

Esse admirado Plutarco talvez gostasse de saber que poderosa influência exerceu nos mais célebres homens de todos os tempos. Não apenas Montaigne e Rousseau o celebraram com tanto entusiasmo, o que seria aliás suficientemente lisonjeiro. Shakespeare é seu herdeiro, Montesquieu, seu leitor. Todos os amantes do heroísmo, da liberdade, da beleza moral encontram nas *Vidas paralelas* um estímulo à sua vocação. *Mme.* Roland e Charlotte Corday foram leitoras apaixonadas da sua obra, e a primeira lia-o desde os nove anos...

Resta saber se as biografias – de Plutarco ou de quem quer que seja – representam essa fidelidade que Rousseau, malgrado as suas decepções, parece esperar do historiador. Pois, de acordo com a sua orientação educacional, é necessário banir o erro, a todo custo, e, como formas de erro, todas as alegorias e estilizações.

A biografia que, como gênero, teve há pouco uma brilhante ressurreição, pela pena de Ludwig, Zweig, e seus imitadores, encerra, sem dúvida, imensas possibilidades educativas, na formação do leitor. Todos somos levados a crer que a virtude é eterna, e os grandes gestos de um homem, certo dia, devem ser repetidos por outro. Será verdade? Ou os homens serão demasiadamente plásticos, e não só eles, mas também os tempos e as circunstâncias, de modo que, como exemplo a seguir, a biografia tem um valor nulo?

Não será a biografia de valor todo relativo, mostrando o mais conveniente, o mais belo, o mais admirável em "certos limites de tempo e espaço", e, portanto, sugerindo, apenas, uma espécie de "moral proporcional"?

Diante destas considerações, não afirmemos que a biografia resolve o problema das leituras juvenis: ajuda a resolvê-los, e isso mesmo com precaução, bom senso, prudência, que devem ser qualidades indispensáveis no educador.

Rio de Janeiro, *A Manhã*, 14 de janeiro de 1942

Ainda a literatura infantil

As dificuldades para julgar, resolver, e mesmo apenas falar do problema da literatura infantil provêm deste fato elementar: o adulto é diferente da criança. Nessas condições, à criança competiria escolher o livro que realmente lhe agradasse (referimo-nos ao livro recreativo, e não ao compêndio escolar ou livro de texto). Acontece, porém, que é o adulto quem geralmente escreve, edita, julga e critica os livros destinados à criança – e em todos esses exercícios muito frequentemente se esquece da sua condição. Assim, quando um adulto comum gosta de um certo livro, é quase indiscutível que esse é o que menos convém para a criança comum. E se fazemos a distinção com o adjetivo, é por existirem inegavelmente adultos de sensibilidade especial, ou com o dom de se transferirem tanto quanto possível para o mundo da infância, quando empenhados na apreciação de uma leitura para crianças. Dispensável acrescentar não ser isso usual nem fácil.

A opinião do adulto em matéria de livros infantis de natureza recreativa deve ser cautelosa – eu, pessoalmente, a acho desnecessária, e, na maioria dos casos, talvez nociva. Interessam ao adulto, em primeiro lugar, as coisas pelas quais ele, adulto, verdadeiramente se interessa; e, em segundo, as coisas pelas quais lhe interessaria que a infância se interessasse. Ora, ambas as coisas podem ser excelentes, como intenção e como interesse, – mas sejamos razoáveis: que tem isso a ver com o interesse autêntico da criança?

Foi levando em consideração essas coisas (que os adultos em geral não toleram ouvir, porque se sentem diminuídos na sua condição e sabedoria de adultos) que alguns pensaram – e isso já é muito velho – em deixar às crianças a seleção de suas leituras.

Abrimos um parêntese para consolar esses adultos que não toleram ouvir tais coisas: porventura intervém a criança nos graves livros de economia política ou de fisiologia ou de qualquer outra coisa que os adultos leem de sobrecenho franzido, com seriedade e respeito? Não. A criança está no seu mundo, e não se importa com isso. Ainda não chegou a sua vez de franzir o sobrecenho. Por que, então, os adultos irão bolir com as suas histórias, as histórias que as fazem sorrir, com uma opinião que elas em geral não pedem e na qual, com a sua divina sabedoria, quase nunca acreditam?

Reconheço que há péssimos livros infantis. Mas não creio muito nos seus maus efeitos, porque há uma seleção natural, feita pela própria sensibilidade da criança.

Também reconheço que alguns dos defeitos da literatura infantil são de tal modo evidentes que se poderia poupar à mesma criança o referido esforço de seleção. Isso, porém, exigiria uma crítica prévia tão serena e democrática, tão limpa e isenta, e traria tão feias complicações, se essa crítica fosse perturbada, que é melhor deixar o trabalho à criança. Pode-se confiar melhor.

Ainda reconheço mais: que o adulto pode, com a experiência geral da vida, apontar (se tiver dons para isso) certos inconvenientes de tema e de forma, na literatura infantil. Isso mesmo, porém, deve ser observado com muita reserva – pois uma coisa que aos olhos agudos, maliciosos ou facciosos (ou estrábicos!) de alguns parece excessiva, imprópria ou boba, tem a sua razão de ser quando considerada pelo leitor a que verdadeiramente se destina.

Os que admitiram a possibilidade de ser a literatura infantil julgada pelas próprias crianças imaginaram a existência de bibliotecas especializadas, onde os leitores, com liberdade de escolha, e de opinião, prestariam o serviço de informar indiretamente sobre as obras mais adequadas às diferentes idades, e a cada sexo, – de onde decorreriam as outras informações relativas a gêneros, autores etc. Simultaneamente, estariam os pequenos leitores num ambiente agradável, empregando o seu tempo num entretenimento cujos resultados também se poderiam avaliar. Essas variadas funções da biblioteca infantil não têm sido devidamente apreciadas entre nós.

Mas os que têm alguma experiência do assunto, os que já viveram com as crianças num ambiente dessa ordem, sabem quantos ensinamentos profundos e práticos se podem obter por esse meio.

A título de curiosidade lembraremos isto: a poesia, que parece tão indicada para a infância (porque os adultos se acostumaram a ver as crianças muito poeticamente, com boa ou má poesia, segundo o seu gosto), não alcança o êxito que se poderia imaginar quando se apresenta sob a forma de verso. Chamo a atenção para a diferença: que nem todo verso é poético, e nem toda a poesia é fatalmente em verso. As crianças acham a forma versificada difícil de entender, e sem naturalidade. Os versos do seu mundo valem apenas como elemento rítmico: usam os das canções de roda e de certos brinquedos de caráter social, ou em lengalengas, adivinhações etc.

O artifício do verso tal como é apreciado pelo adulto não encontra na criança a receptividade necessária. E é natural que assim aconteça. Pois não estamos afirmando, desde o princípio, que o adulto e a criança não são a mesma coisa, e até às vezes são coisas completamente opostas?

Rio de Janeiro, *A Manhã*, 15 de janeiro de 1942

Ruralização

Aproximar o homem da terra não é apenas sábia medida econômica e experiência poética maravilhosa – mas integração do homem naquelas virtudes que o dignificam e o deveriam caracterizar, se os exageros da cidade não lhe causassem tão sério dano.

O trabalho da terra seleciona a criatura, física e moralmente. Obriga-a à disciplina do corpo e do espírito. Ensina-lhe sobriedade e retidão. Acostuma-a à esperança, à paciência, e dá-lhe essa capacidade de a tudo resistir corajosamente, que já se vai tornando raro dom, na vertigem e na frivolidade do mundo.

A vida no campo é a compensação dessa vertigem e dessa frivolidade, o superficial cotidiano, que tão importante se afigura ao habitante da cidade, e, de fato, tanto pode concorrer para colocar as pessoas em planos que lhes não correspondem (já ouvi uma vez dizer um jovem: "o que me falta é um terno – e o resto é bobagem. Com um terno, acabo até entrando para a Academia") – perde a sua razão de ser diante da natureza. Diante da sua severa clarividência. Porque ela é sem fraudes. Seu poder é ainda a representação mais perfeita do poder divino. Em sua beleza há algum terror: mas perto dela se adquire uma faculdade de viver com inocência, e com infância, que imprime predicados de força e de coragem à ternura delicada de ser humilde e à necessidade absoluta de ser bom.

No trabalho da terra não há tristeza que não seja fecunda, pois a decepção da colheita pobre se corrige pelo propósito de um esforço mais dirigido, de uma técnica aperfeiçoada, de uma tentativa repetida com mais precaução. Esse procedimento modela também a inteligência do homem. Suas cismas são postas à prova. Suas superstições se modificam, pouco a pouco. A experiência vivida com rigor lhe dá um conhecimento sereno, que se aprimora com a confiança dos resultados recolhidos. Aí, nesse trabalho da terra, o homem aprende uma honradez profunda: sabe que está lidando com coisas extra-humanas: com o céu, com o chão, com a água, com o sol – ar, terra, água, fogo, os quatro elementos dos antigos – e essas forças incorruptíveis apenas lhe obedecem se ele descobrir uma regra de comando que exceda a simples aparência ineficaz dos ritos.

E a alegria que o homem obtém com a retribuição da terra é uma alegria total e inesquecível, que transborda de um viver individual e se transmite a gerações, – pois essa alegria foi feita de um reiterado e penoso empenho de se fazer ouvido pela natureza: das cogitações de cada dia, e do labor manual, conduzidos por tudo que o homem pode produzir de sonho, de esperança e de emoção. Essa é uma alegria permanente como as substâncias de que está feita. E de que está feita senão de vida, de beleza da vida, da harmonia da vida, da justeza de tudo que há no céu e na terra e entre o céu e a terra, e entre o céu e a terra e a existência humana?

O que falta ao homem brasileiro para que sua felicidade se generalize é apenas a decisão de confrontar as misérias e dores que proliferam nos grandes centros, – às vezes precocemente urbanizados, – com o potencial de riqueza e paz encontrado no campo.

Falta-lhe, ainda, ter ao seu alcance, com mais simplicidade, os elementos que lhe permitam um contato proveitoso com a terra: conhecimentos facilitados, mas perfeitos em sua esquematização; amor esclarecido pela natureza, recursos de saúde que lhe assegurem constância nas primeiras tentativas: e assistência, para vencer as primeiras dúvidas e indecisões.

Nenhum trabalho, mais que o da terra, é dignificador e educativo para o homem. Nenhum trabalho também, ao conferir tantas virtudes, exige tantas possibilidades. E, quando o homem se sente vitorioso, afinal, dessas rudes provas, entre ele e a terra se estabelece um entendimento tão poderosamente sentimental que ambos se unificam num destino claro e tranquilo, num intercâmbio feliz, que sustenta a vida e tira o medo da morte, com o esquecimento de todas as limitações e a libertação de todas as fatalidades.

Rio de Janeiro, *A Manhã*, 17 de janeiro de 1942

Samba e educação

Estou vendo o leitor encrespar a testa com o título. Tenha paciência: à primeira vista, parece, talvez, estranho afirmar-se que o samba possa concorrer para a educação, a não ser em sentido oposto. Se levarmos em conta, porém, que todas as danças populares não são mais que restos bem ou mal conservados de cerimônias ou festividades tradicionais que, por sua vez, representaram, para a sociedade que as originou, oportunidades e pretextos de caráter educativo, – então, já podemos entrever no samba uma função que não contradiz o título.

Trata-se, afinal, de um jogo (no sentido pedagógico), com as qualidades que os jogos têm em educação: possibilidades individuais de adestramento, exercício de sentidos e faculdades, submissão à disciplina do ritmo, domínio do corpo e seus movimentos, aguçamento da sensibilidade pela obediência à coreografia. E tudo isso, fora da dança, se reflete no comportamento geral, traduzido em agilidade e capacidade de controle, úteis, sem dúvida, no domínio da vida prática.

Socialmente, o samba estabelece, como jogo de conjunto, relações de camaradagem, com os resultados que costumam valorizar os trabalhos e jogos de equipe: comunicação dos indivíduos, melhor entendimento, entre si, sentimentos de crítica, de admiração, de amizade – o que também se traduz em consequências fora da roda do samba.

Se contemplarmos a vida popular, em matéria de divertimentos, só encontraremos, aqui no Rio, o samba como assunto de verdadeira importância. Algumas pessoas tomam-no por um lado excessivamente entusiástico, mas nem sempre devidamente esclarecido, e muitas outras, justamente por insuficiência de esclarecimento, condenam-no com certa desconfiança e algum rancor.

Quem se der, porém, ao trabalho de subir a um desses morros pobres onde existem escolas de samba, e levar olhos ansiosos de compreender e interpretar, verá que o samba pode não ser tão formidável como se diz às vezes, mas está cumprindo uma missão que não deixa de ser educativa, e que enternece aos que gostam da humanidade, e desejariam vê-la melhorada por meios pacíficos.

Parece que mesmo os presidentes das escolas de samba estão, sem saberem bem como nem por quê, sentindo que fazem educação, como Mr. Jourdain fazia versos. Já ouvi um deles discursar com a maior seriedade e emoção, declarando que a função da sua escola de samba era "suavizar o trabalho dos poderes públicos, no melhoramento do povo". Mas a escola de samba não ensina a ler, nem a escrever, nem a contar – dirão os partidários de uma instrução mínima. Claro que não. Formalmente, não. Mas ler, escrever e contar não significam sempre educar. De modo que, por esse lado, está encerrada a discussão.

Resta saber, então, que faz uma escola de samba para que se lhe possa descobrir um sentido educativo.

A dança, considerada como jogo, seria suficiente para indicação de um certo aproveitamento, como dissemos acima. Acontece, porém, que a escola de samba é um centro de reunião de sócios que se vão entreter com esse jogo. Esses sócios são representados por operários, empregados domésticos etc. E já o fato de uma escola de samba ser integrada por trabalhadores inclui uma sanção relativa à casta dos malandros, tão desprestigiada nas camadas humildes... e tão prestigiada nas outras...

Essa gente que se diverte com "o brinquedo", como diz o meu encerador, encontra na escola de samba a mesma oportunidade social que às outras classes se oferece nos clubes elegantes, nas reuniões mundanas etc. Ora, não se diz que a vida social educa os bons hábitos, cultiva os sentimentos de cordialidade, de cooperação, de simpatia, mantém o equilíbrio humano, permite a troca de experiências, oferece outros pontos de vista, – enfim, melhora o indivíduo intelectualmente e moralmente? Por que tudo isso há de ser negado à escola de samba?

A escola de samba é o orgulho do morro, que todo se limpa e enfeita nos dias de função. Ela exige de seus frequentadores certos cuidados de vestuário, que constituem, para a esfera de sua atuação, um melhoramento considerável, não apenas de higiene, mas também de elegância. O salão de escola de samba é um museu ilustrativo para o estudioso dos nossos costumes: vultos notáveis da história, poetas e artistas famosos ali são reverenciados em efígie, ao lado de poéticas imagens de santos católicos. A escola de samba tem sócios de todas as idades. Velhos e crianças brincam lado a lado com rapazes e gente madura. É mesmo da tradição que, antes de nascer, as criancinhas já estão aprendendo. É o que se pode chamar, sem dúvida alguma, educação pré-natal...

Na parede de uma escola de samba podem ser encontradas coisas assim: "Pede-se aos cavalheiros que tratem as damas com toda a dignidade: assinado – um colega." E isso, evidentemente, é uma demonstração de finura de maneiras, e boa orientação ética.

Por todas essas razões, o samba, a meu ver, está tendo uma influência educativa digna deste artigo, que é o mais sério possível, apesar de meio risonho.

E, sem falar já das escolas de samba – até as canções carnavalescas não estão sendo quase uma antologia cívica, e, pelo menos, sem nenhuma dúvida, uma verdadeira antologia poliglótica?

Rio de Janeiro, *A Manhã*, 18 de janeiro de 1942

Mais poesia

Ao cruzar a cidade, nestes dias abrasadores, pergunto a mim mesma por onde andarão as crianças do Rio que não se veem.

Como as colônias de férias ainda são pouco mais ou menos um sonho do professor João de Camargo e outros idealistas, as crianças devem andar por aqui mesmo, embora invisíveis.

Antigamente, este tempo de férias e sol não dava grande preocupação aos que gostavam das crianças: o mais que se podia temer era alguma queda do alto de uma árvore ou um princípio de afogamento nalgum barril d'água. Porque esses eram os bons tempos dos quintais com árvores frutíferas, e balanços e sombras, e pássaros, desses belos quintais dos oito anos de Casimiro de Abreu e de muita gente mais. Depois, os quintais foram desaparecendo, armaram-se arranha-céus, as crianças de famílias ricas e remediadas foram ficando fechadas em caixas de cimento armado, e as pobres, em latas amassadas, no cocuruto dos morros. E agora que é das árvores, para os tombos? Que é dos barris d'água para a gente se afogar? Não há mais. As crianças penduraram a cabeça melancólica na beirada da varandinha retangular dos altos edifícios – quando há varanda... – ou se sentam quietinhas na soleira da porta, para não fazerem desabar a arquitetura da favela. Ah! Tempos...

Mas não é só culpa dos tempos. É culpa dos jardins, dos jardins públicos, que deviam ser justamente de uso coletivo, substituindo as áreas inexistentes das casas particulares.

Dir-me-á o leitor que não nos faltam jardins, e a culpa, então, é das crianças, que os não frequentam.

É que o leitor, talvez, nunca esteve parado ao meio-dia num jardim carioca. Nunca viu que beleza de gramado eles apresentam. Que bonitos espelhos d'água, onde a brasa do sol resplandece e mesmo se multiplica. E que sombra curiosa têm os tufos de pita e os fícus cortados em cubos e em cabeças de cavalo... Mas é o sol que se estende pelo gramado, o sol que mergulha n'água, o sol que se senta comodamente em todos os bancos, – o sol, e mais ninguém, porque a maioria dos nossos jardins são feitos para o sol, e não para o mísero passante. E como poderiam as crianças procurá-los, a não ser com todos os apetrechos destinados a salvá-las da insolação?

Tão belas árvores temos, tão feitas para a infância, tão ricas de poesia, tão ricas de ensinamento e de sugestões educativas! Tão famosas borboletas, tão lindos pássaros, tão boas águas! Mas tudo anda disperso por longe, inacessível à população infantil, que qualquer dia terá notícia dessas coisas talvez apenas pelo cinema.

Penso, então, com saudade, nesses parques infantis que a minha amiga Fernanda de Castro instituiu em Lisboa – com sombras de altas árvores, lagos, canteiros, flores, bichinhos. Um pavilhão para abrigo em certas horas ou para certos fins. Merenda de pão, mel, fruta. Trabalhos e divertimentos. Um pouco de costura e bordado para as meninas. Trabalhos manuais para os garotos. Roupinha para os pequeninos.

No grande jardim, a criança se entretinha em diferentes atividades: lá ia um puxando um carrinho pelo barbante. O outro estava armando um boneco de engonços. A pequena aprendia um ponto de chochê. Um grupo fazia recortes de papel. Alguns curiosos andavam em redor do jardineiro, com perguntas sobre a terra e as plantas, e por que isto e por que aquilo, e boliam na bomba d'água para lhe descobrirem o engenho.

Canções de roda e brinquedos tradicionais eram cantados e brincados nesses jardins sem artifício.

Às vezes, fazia-se uma festa: as crianças preparavam bandeirinhas, arrumavam as mesas da merenda, dentro do pavilhão, contavam histórias, recitavam versos, cantavam, dançavam, – e, em funções muito importantes, vinha um grupo de palhaços animar as crianças, com suas longas pernas, seus bolsos infindáveis, suas cartolas coloridas, suas barbas postiças. Uma alegria.

Eu gostava que as crianças brasileiras tivessem coisas assim. Não me parece impossível. Os parques infantis de São Paulo representam alguma coisa nesse sentido. Mas é preciso propagar o exemplo, e, sobretudo, não fazer nunca obra puramente pedagógica, nem simplesmente burocrática. É poesia que precisamos dar às crianças. Poesia natural, simples e profunda. Radicação na vida. Visão da beleza do mundo. Amor à terra. O mais lhes virá por acréscimo.

Rio de Janeiro, *A Manhã*, 20 de janeiro de 1942

Conversa à beira do rio

O menino a quem dei o troco das pipocas atravessou a rua correndo, com o seu cestinho ao peito, e logo voltou, radioso, desembrulhando um pequenino pacote de chicles. Como, apesar de simples vendedor de pipocas, era de natureza amável, ofereceu-me da sua gulodice. E eu que, com todo o meu americanismo, não pretendo, por enquanto, gostar de chicles, pus-me a fazer-lhe o elogio das pipocas que a ele mesmo acabara de comprar.

Era de manhã, à beira do rio, e mostrei-lhe como as pipocas se pareciam com jasmins, e eram muito mais alvas, e ainda mais puras, que nem perfume desprendiam; considerei sua existência miraculosa, da terra que as criara ao fogo que as rompera. Naquela deslumbrante purificação, o único vestígio da terra, que ainda conservavam, era o toque dourado da pele que as revestira.

Então, o menino quis saber por que eu não gostava de chicles. É certo que se poderia defender essa goma recoberta de açúcar como a imagem da própria eternidade, interminável e um pouco obscura, no fundo dos tempos, que às vezes também são doces, e coloridos de branco e de cor-de-rosa, e que facilmente se dissolvem, com seu gosto inconstante de menta e rosa. A ideia de mastigar a eternidade também não me desagrada. Pois que somos nós senão ruminantes do eterno, salvo os que são apenas efêmeros ruminantes? Não foi, portanto, a imagem que me faltou, para nobilitar e poetizar os chicles. Foi, a força do meu paladar, ainda não suficientemente americanizado, e que encontra nessa gama interminável a verdadeira ilustração do famoso gosto de cabo de guarda-chuva. Foram, também, certas lembranças da cidade de Cincinnati, que suponho ser um dos lugares do mundo onde mais se mascam chicles, pois as calçadas estão cheias de manchas negras a que se pegam os papéis soltos e a sola dos sapatos dos passantes. E outras, das "cafeterias" americanas, quando rapazes com cara de parentes do Boca Larga puxavam dos dentes aquele pedaço de elástico, e pregavam-no em qualquer parte – embaixo da mesa, no pé da cadeira, no salto do sapato, para poderem tomar um *ice cream*.

Limitei-me, porém, a dizer ao menino que me aborreciam os chicles porque não acabavam nunca... E depois mostrei-lhe as vantagens das pipocas, bonitas, nutritivas e tão conhecidas nossas, que as vemos surgir da terra, em qualquer campo, e as vemos bailar ao fogo, em qualquer esquina... Sem falar que essas, que ele vendia, eram feitas por seu pai e por uma freira...

Mas o menino, com um gesto imenso de tédio, espalmando a mão pelo estômago, me confessou que de pipocas estava cheio. Compreendi então que era já o prazer da variedade que o tentava. Mas não era só isso. "Os chicles são bons", disse-me ele, "porque custam muito a acabar. E enquanto se vai mastigando, não se pensam coisas ruins".

Ouvir uma criança de dez anos dizer isto, seriamente, num maravilhoso dia de sol, à margem de um rio, foi como se alguém me viesse afogar na água, ou me obrigasse a bebê-la toda – uma surpresa monstruosa e triste.

– Que é que você tem a esquecer?

– Logo que eu fico sozinho – respondeu-me – penso em meus dois avós que morreram. Um morreu na cama, tremendo. O outro, morreu de uma queda, caçando, e o sangue foi saindo... saindo...

E os olhos da criança se enchiam de lágrimas.

– Você viu-os morrer?

– Não. Foi minha mãe que contou.

– Mas isso não acontece todos os dias... – disse-lhe eu, com esse ar de estupidez que se adquire quando se quer consolar.

– Eu sei. Mas fico tão nervoso!

E apontava-me os bracinhos e a garganta, por onde sentia correr a sua emoção.

– Há muitas coisas bonitas para pensar – continuei. – Você já olhou bem para uma árvore? Já viu como são engraçadas? Têm tudo: flor, fruta, sombra, ninhos de passarinhos...

E ele já sorria.

– Já viu uma flor de perto, bem de perto? Tem diferentes cores, tem risquinhos, que parecem desenhados a pena. Umas são fininhas como seda. Outras parecem rijas que nem mármore. Umas são franzidas, outras são arredondadas, algumas têm pelinhos prateados. Às vezes cheiram tanto que a gente adoece de cheirá-las. Mas há cheiros tão lindos que parecem outras coisas: nuvens, viagens, casas pintadas de azul, cabrinhas bebendo orvalho... Você já reparou nisso tudo?

Então, o menino ficou de boca aberta, sorrindo, sem mascar o chicles nem nada. E sorria encantado. E os seus dois avós estavam longe, longe. E não era preciso mascar a goma, para esquecê-los, na sua desventura final.

Pus-me a pensar na sensibilidade das crianças, às vezes tão mal compreendida pelos próprios parentes. Lembrei-me da influência das conversas dos adultos na infância que anda em redor deles, aparentemente desatenta ou distraída. Sofri de novo com o mal que a humanidade faz a si mesma, sem querer e sem saber.

Mas o menino me disse:

– Deixe ver o número do seu automóvel, para me encontrar com a senhora quando vier aqui outra vez...

Então, achei que tinha empregado bem a manhã, porque abrira na imaginação de um menino triste um caminho novo, para a beleza suave do mundo. E deixei-o sorrindo, esquecido, com o cesto de pipocas ao peito, dizendo-me adeus.

Rio de Janeiro, *A Manhã*, 23 de janeiro de 1942

Ventilador

Estava lendo uma revista de estudantes, e encontrei o anúncio de outra, que acaba de aparecer e se chama *Ventilador*.

Ventilador. Parei, com alívio. Que frescura! Na minha sala, sem ar-condicionado, tudo foi ficando diferente: suaves brisas boliram nos meus papéis, andaram pelos meus cabelos, levantaram as cortinas. O termômetro continuava marcando 31 graus – mas eu mergulhava em temperaturas de montanhas no inverno, e a luz do sol na varanda me parecia laranjada gelada.

Ventilador. Eis o poder das palavras. E logo me lembrei de um professor americano que chegou aqui outro dia, depois de pousar em Belém, e com a técnica meteorológica aprendida no Norte me foi perguntando, enquanto mexia suas esperanças num copo de *cobbler:* "A que horas começa aqui a ventilação?" "Qual ventilação?", perguntei-lhe. "A aragem que refresca...", explicou-me.

A ventilação para mim começou apenas agora, com esta revista, que me fez pensar nessa graça que tem a mocidade, e só a mocidade, de descobrir coisas que, sendo verdadeiras loucuras, são verdadeiras maravilhas, e enchem de júbilo os corações de boa vontade.

Eu não sei qual é o programa do *Ventilador*. Mas deve ser um programa de refrescar. E não é disso que andamos verdadeiramente precisados? Pois com 31 graus numa sala de trabalho ou de aula pode haver coisa mais grata e oportuna que um ventilador?

Além disso, os tempos são de fogo, e a alma dos jovens propensa aos arrebatamentos. O ventilador tem uma ação calmante, ajuda a serenar, faz tornar o equilíbrio às coisas, e é sobretudo de equilíbrio que crianças, moços, velhos, homens e mulheres andamos carecendo.

Por outro lado, o ventilador carrega muita coisa no seu sopro: leva para longe papéis inúteis, com lembranças aborrecidas. Que melhor ideia do que essa: abrir bem o ventilador em cima dos apontamentos de estudo do último ano, principalmente se forem do curso secundário! Adeus teoremas, adeus leis de ótica, adeus guerras mal contadas, adeus ciência mal aprendida, adeus química sem experiências, adeus geografia sem viagens, adeus gramática sem vida... Tudo voando para longe, para o sem-fim da terra, para as mãos justas de São Luís Gonzaga, que ficará meditativo e penalizado, vendo o que fazem neste mundo com a mocidade, sob a sua proteção...

Ventilador. Um ventilador no meio da pedagogia! Mas que ideia tiveram esses rapazes! A poeira dos laboratórios saindo pelas janelas, de braço dado com a poeira das bibliotecas... As teias de aranha das secretárias transformando-se em transparentes paraquedas, para assustar os duvidosos habitantes da Lua ou de Marte...

Tudo arejado, refrigerado, limpo. Se o professor americano chegasse agora e me perguntasse: "A que horas começa aqui a ventilação?" – já lhe poderia responder: "Começou agora. Agora, com a revista *Ventilador*." E o meu amigo, como bom americano e professor honrado, alargaria até as orelhas um sorriso de felicidade e boa vizinhança.

Ventilador. Mas é preciso graduar a máquina. Se começam a voar as cabeças vazias? Se começam a ir pelos ares os cérebros em que a matéria pedagógica se envisgou de teias de aranha? Se começam a subir pelo espaço, com cadeira giratória, pena e tinteiro, os últimos representantes do ensino mnemônico?

Sinto muito, ventilador. Mas talvez seja conveniente diminuir a ventilação...

Rio de Janeiro, *A Manhã*, 24 de janeiro de 1942

Flores

Como vem acontecendo desde alguns anos, realizou-se há dias em Petrópolis uma exposição de flores e frutos. Petrópolis e Teresópolis possuem um clima delicioso para culturas dessas, e são mesmo cidades espetaculares de beleza florística – hortênsias pelas encostas, pelas margens dos rios, ao longo das cascatas; cravos e lírios e orquídeas selvagens nas mãos das crianças pobres que apregoam pelos caminhos; azaleias, crisântemos, rosas, gladíolas – uma variedade imensa – de cores, de formas, de perfumes, pelos jardins humildes e nobres.

A relação que há entre o jardim e a natureza é uma relação de medida, de limite: uma relação de arte. Ali a mão do homem transfigura, a seu modo, e até onde o permite o seu poder, os elementos vivos da terra apresentados em figura de plantas. Ali o homem se faz um colaborador divino: não apenas seleciona, protege, estimula essas vidas vegetais – mas, porque o seu interesse ou o seu amor o tenha conduzido ao conhecimento de seus segredos, combina-as, multiplica-as, aprimora-as, originando gerações novas, em que gradua perfumes, dobra ou distende pétalas, mistura ou isola tintas, aumenta ou diminui proporções, tudo com a arte de um mágico, ao mesmo tempo químico e cirurgião.

Esse trabalhar com flores determina, como todas as atividades que põem em contato com a natureza, um engrandecimento humano. É um engano pensar que as ideias vivem nos livros. Nos livros elas apenas dormem, preservadas do esquecimento ou do extravio; mas é cá fora, no mundo, que elas se encontram, brotando das árvores, flutuando nos céus, desprendendo-se de cada instante da experiência do homem e de tudo que o rodeia.

Por outro lado, tratar de flores é uma atividade que, permitindo tanta reflexão filosófica e tanto interesse sentimental, produz resultados práticos que, além da satisfação do trabalho realizado, podem conduzir a benefícios econômicos apreciáveis.

As exposições periódicas de flores, que em todo o mundo se realizam, constituem uma oportunidade de apresentação desses resultados, sendo um estímulo para os floricultores, e um momento de prazer artístico para os simples amadores.

O estímulo aos floricultores, pela exibição de seus produtos e contemplação dos de outros concorrentes, leva, naturalmente, ao aperfeiçoamento dos métodos de trabalho para rendimento maior e melhor. E a apresentação desses produtos determina, dentro das exposições de flores, uma outra exposição que vem a ser a dos mostruários, quer se trate de vasos, de vitrinas ou mesmo de jardins, como se via na Feira Mundial de Nova York.

Assim, uma exposição de flores admite dois aspectos: o da floricultura, isto é, a apresentação das flores obtidas, e o de arte florística, ou seja, a arte de dispor essas mesmas flores da maneira mais agradável e harmoniosa, ou da maneira mais original e exótica.

Nos Estados Unidos, onde há cursos para todas as coisas, o assunto não podia deixar de ser largamente tratado. Existe uma bibliografia variada a respeito, e qualquer dona de casa pode aprender, mesmo sem ir à universidade, como plantar seu parque, seus canteiros ou os vasos para as portas, as janelas, as varandas, os interiores etc. Também se estuda com o maior carinho a disposição das flores em jarras, procurando-se conjuntos de efeito artístico, seja combinando com os desenhos da porcelana as flores dos ramos, seja tirando partido da semelhança ou contraste da cor das flores com a das jarras lisas, seja, ainda, estudando as proporções entre o volume dos ramos e o dos vasos, ou estabelecendo relações de concordância entre as próprias flores, ou entre as flores e a folhagem – tulipas solitárias; rosas de dois tons; grandes flores perdidas entre florinhas miúdas; exemplares exóticos misturados num conjunto desgrenhado e alucinado; lótus tranquilos em louça lisa como suas pétalas; grupos ingênuos de flores campestres, arranjadas ao gosto popular... Que mundo, esse, das borboletas e das abelhas, quando para ele se inclinam os homens ansiosos da beleza pura da terra!

A arte florística é de aplicação diária e geral. Não há pessoa tão miserável que não tenha em casa ao menos um gerânio ou uma sempre-viva... O lar – *home, sweet home* – vive dessas pequenas coisas imensas: das flores da sala de jantar ou do escritório, que trazem frescura e carinho para as horas de refeição e para as de estudo. As flores são uma presença deliciosa, porque possuem duas qualidades maravilhosas quando se encontram juntas: beleza e silêncio. Por isso, podem servir de companhia igualmente a Deus e aos homens.

Fui visitar a exposição de flores de Petrópolis, mas atrasei-me e só encontrei pedaços de papelão. Isso me fez pensar que precisamos incentivar mais a floricultura, promover cursos, conferências, exposições mais frequentes, prêmios – de modo a desenvolvermos com eficiência maior uma atividade tão bela e tão útil, que inspira, eleva e recompensa os que a ela se dedicam, desde que tenham ao seu alcance os conhecimentos necessários para seguro êxito.

Rio de Janeiro, *A Manhã*, 27 de janeiro de 1942

O almanaque

Uma vez, numa aldeia, vi um homem lendo um almanaque. Naturalmente não era um desses almanaques que se encontram aqui pelas farmácias da cidade, com anúncios de remédios, calendário e anedotas. Não obstante, era seu parente, e estava, para estes, na mesma proporção em que pode estar um avô sábio, honrado e simples para um neto vadio, insensato e fútil.

Nesse almanaque de aldeia havia muita coisa que me interessou e divertiu: minuciosas recomendações acerca das atividades agrícolas, maneiras práticas de avaliar o bom e o mau tempo, com pormenores sobre granizo, neve, geada; observações curiosas a respeito dos hábitos de certos animais; quadrinhas conceituosas; muitos provérbios em prosa e verso; histórias de antigamente, já integradas nessa enciclopédia viva que é a memória dos povos.

E eu deleitada, embebida na leitura do almanaque, estudando o caráter dos meus conhecidos através das informações fáceis da astrologia, e fazendo previsões sobre as próximas colheitas, o estado dos vinhos, as manchas da lua, a marcha das guerras e o nascimento dos pintos.

A certa altura me lembrei daquele poema de Francis Jammes em que se desenha a menina com uma cestinha de ovos, à margem de um caminho, entretida com uma leitura assim, aprendendo os signos do Zodíaco, imaginando que, com a Cabra, o Touro, o Carneiro, os Peixes, o céu é também um mercado a que nem falta a balança para pesar o café, o sal, as consciências...

Francis Jammes, com a sua fina sensibilidade, tinha percebido a deliciosa poesia ingênua dos almanaques, e muitas das suas composições foram mesmo inspiradas nesses livrinhos rústicos, humildes, cheios de superstições, de empirismos, – e no entanto profundamente úteis e amenos tanto para os que vivem a legítima vida de campo como para os simples curiosos e amadores, que nunca plantarão rosas nem batatas, mas, com esse instinto da terra, que dorme no coração humano, gostarão de saber quando se semeia, quando se poda, quando se aduba o solo, que flores se colhem cada mês, e que acontece, se vem o vento ou a lua cheia, precisamente quando a semeadura vai adiantada...

Sempre que ando pelo campo, lembro-me com ternura dos almanaques. Esta gente nossa cheia de ignorância e poesia não pode, bruscamente, entender os jornais, nem isso lhe seria grandemente proveitoso, pois talvez tivessem curiosidade pelos esportes e pelos cinemas, duas coisas boas, quando são boas, e péssimas, quando são ruins. Esta boa gente que gosta de cantar e tocar viola, – sempre que o fôlego dá para tanto, – precisa é aprender a olhar para o mundo maravilhoso que a rodeia, com seus bichos e suas plantas, suas águas e suas pedras, suas nuvens e suas estrelas, e a lua e o sol. Um livro sério não pode interessar a essa boa gente, porque os livros muito sérios costumam ser terrivelmente fatigantes. Que resta, pois? Que daremos a ler a esta gente que por acaso tenha sido alfabetizada, para fazê-la aproveitar agradavelmente esse recurso adquirido? Voto no almanaque.

A justificação do voto é quase desnecessária, depois do que disse antes. E se todos os leitores deste jornal já tivessem tido na vida a felicidade de ler um almanaque dos bons, um almanaque de verdade, não desses de propaganda de pastilhas, – creio que nem precisaria dizer mais nada sobre essa modesta ideia minha.

O almanaque tem um certo ar de mistério, pelas previsões que adianta, pelas ingênuas e, no entanto, surpreendentes conjeturas que faz acerca do tempo e das suas influências na terra.

O tema do almanaque é tudo que há de mais primitivo e eterno: o céu e a terra, com seus fenômenos. Não há nada mais intimamente ligado à vida humana.

Depois vêm os conselhos: a saúde do corpo e a do espírito; como cicatrizar as feridas e como purificar os pensamentos.

O sobrenatural está representado pela adivinhação à sorte, e por essas descrições do universo e de cada planeta que conduzem o leitor a planos superiores ao de simples habitante da terra.

As tradições apresentam-se sob a forma de lendas, cantigas, adágios. A religião está incluída no calendário com o patrono de cada dia, o patrono de cada atividade humana, as festas etc...

Não conheço leitura mais completa e mais simples. E bastaria que em lugar de práticas empíricas se publicassem referências, informações e conselhos verdadeiramente científicos (mas conservando o ar ingênuo que caracteriza o almanaque) para que se tivesse um meio fácil e delicioso de pôr o homem rural em contato com as suas realidades, tornando-as atraentes, sugestivas, mais compreendidas e mais amadas.

Rio de Janeiro, *A Manhã,* 28 de janeiro de 1942

A arte de brincar

É lamentável, mas os tempos andam tão maus que as próprias crianças já não sabem mais brincar.

Em dias mais tranquilos, elas gostavam de suas cantigas de roda, tinham um largo repertório, e à tardinha e à noite brincavam pelos quintais e pelas ruas, pelos jardins e pelas praças. Tinham também jogos cantados e falados, resíduos ou esboços de teatro, e com eles se entretinham, alegremente. Os brinquedos simples, primitivos e eternos, fáceis de obter e de conservar, não faltavam nem mesmo às mais pobres; e quase se podia saber em que mês se estava pelo aparecimento dos papagaios de papel ou das bolas de gude, do pião ou do bilboquê. As bonecas ingênuas ocupavam as meninas com preparativos de enxovais de batizado e casamento, conduzindo assim as pequeninas mãos à técnica da costura e do bordado por um caminho de resultados surpreendentes, graças à sua origem terna e sentimental.

Esses jogos, quase todos de grupo, estabeleciam relações sociais de cordialidade, entre as crianças. Muitas amizades nasceram de partidas de gude ou "cinco Marias", de cirandas e de fogos de artifício. E essa sociabilidade era autêntica, e de longa permanência, pois resistira às competições dos jogos, às rivalidades, aos despeitos, aprimorara o caráter nesses encontros de infância, que é quando se deve aprender a tolerância, a admiração, a justiça e outras coisas mais.

As crianças de hoje parecem-me irritadas e desnorteadas. Cerca-as uma atmosfera bravia, uma agitada atmosfera, que as deixa sem a suficiente serenidade para apreciar a beleza simples das pequenas coisas e admitir outras vidas, além da sua, neste mundo tão grande. Os jogos de conjunto tendem a desaparecer, e são os brinquedos mecânicos que os substituem. Mas uma das coisas interessantes naqueles jogos era a sua barateza. Não há rua tão infeliz que não tenha pelo menos uma dúzia de crianças. Exceto aos pais, essas crianças não custam nada. É só reuni-las, fazê-las entoar umas tantas cantigas, e já temos uma festa, meio desafinada, meio rouca, – mas há alguma festa que não seja meio rouca ou meio desafinada? Nunca vi.

Agora com as bicicletas e os patins e os automóveis destes tempos de velocidade, a história é outra. Nem todos os pais podem adquirir coisas tão caras para a sua prole. E, como os possuidores de tão custosas prendas, graças exatamente à sua qualidade de brinquedos velozes, podem estar quase ao mesmo tempo em muitas partes, resulta que uma boa porção da criançada sofre – sofre profundamente – por ver essas belas máquinas fora do alcance das suas possibilidades.

Não me quero deter na análise dos sentimentos que essa situação desperta na alma infantil. "Há muitas coisas neste mundo, Horácio", que as crianças não podem entender...

Ainda uma coisa me parece pior: que os pais também sofram com essa situação. Esse sofrimento não resolve nada. E se um sofrimento não resolve nada, é inútil e deve ser eliminado. Deve ser substituído por uma coisa que resolva. A coisa que resolve é uma compreensão diferente da vida, e uma interpretação mais pura, mais sadia, mais isenta. E eu sei que dá um certo trabalho ter-se uma tal concepção do mundo que tudo deixe em seus lugares sem perturbar a paz de espírito de cada um. Mas, enquanto não se tem essa concepção, também não se tem essa paz, e, assim, é mister começar pelo único lado que é, verdadeiramente, começo.

Se os pais se lamentarem de não dar a seus filhos todas essas máquinas atraentes, mas um pouco tediosas que se inventam para brinquedo, podem causar um grande mal às crianças, aumentando o interesse naturalmente suscitado por essas coisas. Mas se não lhes derem grande atenção, se estiverem, eles mesmos, enamorados da infância e da beleza do mundo, conseguirão inspirar em seus filhos a sedução profunda de coisas que não custam nada, ou custam muito pouco, e encerram uma poesia delicada e imortal.

Outro dia eu estava muito quieta contemplando esta cena: um pequeno almocreve da serra mirou e remirou o menino veranista que possuía uma dessas bicicletas fabulosas com que, nos circos, se fazem bailados de prata; por fim, propôs-lhe um negócio que, à sua experiência de pequeno comerciante, lhe parecia de alta vantagem: ele dava uma voltinha de bicicleta e o veranista duas voltinhas no seu cavalo...

Mas o veranista, como é da sua condição, dava uma grande importância a si mesmo e à sua propriedade. De modo que o negócio não se fez.

Está claro que a minha conclusão é desfavorável ao veranista; pois que o menino rude da montanha ache surpreendente aquela máquina cintilante e queira ver como funciona é natural; mas que o veranista, pessoa já alfabetizada, geralmente com casa própria e professor de inglês, não saiba apreciar a vantagem de uma voltinha a cavalo, – cavalo, bicho que vive, relincha, sacode a crina, e pisa com um garbo de jovem de dezoito anos na Cinelândia – ah, isso é inconcebível.

    E é por isso que eu digo que a arte de brincar se vai perdendo. A máquina está gastando a infância. Qualquer dia as criaturas humanas nascerão de barbas brancas, como Lao-Tseu. Oxalá, se vierem com a sua sabedoria...

Rio de Janeiro, *A Manhã*, 29 de janeiro de 1942

Cronologia

1901
A 7 de novembro, nasce Cecília Benevides de Carvalho Meirelles, no Rio de Janeiro. Seus pais, Carlos Alberto de Carvalho Meirelles (falecido três meses antes do nascimento da filha) e Mathilde Benevides. Dos quatro filhos do casal, apenas Cecília sobrevive.

1904
Com a morte da mãe, passa a ser criada pela avó materna, Jacintha Garcia Benevides.

1910
Conclui com distinção o curso primário na Escola Estácio de Sá.

1912
Conclui com distinção o curso médio na Escola Estácio de Sá, premiada com medalha de ouro recebida no ano seguinte das mãos de Olavo Bilac, então inspetor escolar do Distrito Federal.

1917
Formada pela Escola Normal (Instituto de Educação), começa a exercer o magistério primário em escolas oficiais do Distrito. Estuda línguas e em seguida ingressa no Conservatório de Música.

1919
Publica o primeiro livro, *Espectros*.

1922
Casa-se com o artista plástico português Fernando Correia Dias.

1923
Publica *Nunca mais... e Poema dos poemas*. Nasce sua filha Maria Elvira.

1924

Publica o livro didático *Criança meu amor...* Nasce sua filha Maria Mathilde.

1925

Publica *Baladas para El-Rei*. Nasce sua filha Maria Fernanda.

1927

Aproxima-se do grupo modernista que se congrega em torno da revista *Festa*.

1929

Publica a tese *O espírito vitorioso*. Começa a escrever crônicas para *O Jornal*, do Rio de Janeiro.

1930

Publica o poema *Saudação à menina de Portugal*. Participa ativamente do movimento de reformas do ensino e dirige, no *Diário de Notícias*, página diária dedicada a assuntos de educação (até 1933).

1934

Publica o livro *Leituras infantis*, resultado de uma pesquisa pedagógica. Cria uma biblioteca (pioneira no país) especializada em literatura infantil, no antigo Pavilhão Mourisco, na praia de Botafogo. Viaja a Portugal, onde faz conferências nas Universidades de Lisboa e Coimbra.

1935

Publica em Portugal os ensaios *Notícia da poesia brasileira* e *Batuque, samba e macumba*.

Morre Fernando Correia Dias.

Nomeada professora de literatura luso-brasileira e mais tarde técnica e crítica literária da recém-criada Universidade do Distrito Federal, na qual permanece até 1938.

1937

Publica o livro infantojuvenil *A festa das letras*, em parceria com Josué de Castro.

1938

Publica o livro didático *Rute e Alberto resolveram ser turistas*. Conquista o prêmio Olavo Bilac de poesia da Academia Brasileira de Letras com o inédito *Viagem*.

1939

Em Lisboa, publica *Viagem*, quando adota o sobrenome literário Meireles, sem o *l* dobrado.

1940

Leciona Literatura e Cultura Brasileiras na Universidade do Texas, Estados Unidos. Profere no México conferências sobre literatura, folclore e educação. Casa-se com o agrônomo Heitor Vinicius da Silveira Grillo.

1941

Começa a escrever crônicas para *A Manhã*, do Rio de Janeiro. Dirige a revista *Travel in Brazil*, do Departamento de Imprensa e Propaganda.

1942

Publica *Vaga música*.

1944

Publica a antologia *Poetas novos de Portugal*. Viaja para o Uruguai e para a Argentina. Começa a escrever crônicas para a *Folha Carioca* e o *Correio Paulistano*.

1945

Publica *Mar absoluto e outros poemas* e, em Boston, o livro didático *Rute e Alberto*.

1947

Publica em Montevidéu *Antologia poética (1923-1945)*.

1948

Publica em Portugal *Evocação lírica de Lisboa*. Passa a colaborar com a Comissão Nacional do Folclore.

1949

Publica *Retrato natural* e a biografia *Rui: pequena história de uma grande vida*. Começa a escrever crônicas para a *Folha da Manhã*, de São Paulo.

1951

Publica *Amor em Leonoreta*, em edição fora de comércio, e o livro de ensaios *Problemas da literatura infantil*.
Secretaria o Primeiro Congresso Nacional de Folclore.

1952

Publica *Doze noturnos da Holanda & O Aeronauta* e o ensaio "Artes populares" no volume em coautoria *As artes plásticas no Brasil*. Recebe o Grau de Oficial da Ordem do Mérito, no Chile.

1953

Publica *Romanceiro da Inconfidência* e, em Haia, *Poèmes*. Começa a escrever para o suplemento literário do *Diário de Notícias*, do Rio de Janeiro, e para *O Estado de S. Paulo*.

1953-1954

Viaja para a Europa, Açores, Goa e Índia, onde recebe o título de Doutora *Honoris Causa* da Universidade de Delhi.

1955

Publica *Pequeno oratório de Santa Clara, Pistoia, cemitério militar brasileiro* e *Espelho cego*, em edições fora de comércio, e, em Portugal, o ensaio *Panorama folclórico dos Açores: especialmente da Ilha de S. Miguel*.

1956

Publica *Canções* e *Giroflê, giroflá*.

1957

Publica *Romance de Santa Cecília* e *A rosa*, em edições fora de comércio, e o ensaio *A Bíblia na poesia brasileira*. Viaja para Porto Rico.

1958

Publica *Obra poética* (poesia reunida). Viaja para Israel, Grécia e Itália.

1959

Publica *Eternidade de Israel*.

1960

Publica *Metal rosicler*.

1961

Publica *Poemas escritos na Índia* e, em Nova Delhi, *Tagore and Brazil*.

Começa a escrever crônicas para o programa *Quadrante*, da Rádio Ministério da Educação e Cultura.

1962

Publica a antologia *Poesia de Israel*.

1963

Publica *Solombra* e *Antologia poética*. Começa a escrever crônicas para o programa *Vozes da cidade*, da Rádio Roquette-Pinto, e para a *Folha de S.Paulo*.

1964

Publica o livro infantojuvenil *Ou isto ou aquilo*, com ilustrações de Maria Bonomi, e o livro de crônicas *Escolha o seu sonho*.

Falece a 9 de novembro, no Rio de Janeiro.

1965

Conquista, postumamente, o Prêmio Machado de Assis da Academia Brasileira de Letras, pelo conjunto de sua obra.

GRÁFICA PAYM
Tel. [11] 4392-3344
paym@graficapaym.com.br